Über dieses Buch   Schwank – ein literarischer Begriff, der verschiedene Vorstellungen hervorruft und auf durchaus unterschiedliche Texte angewandt wird: Verserzählungen des Strickers und Knittelverse von Hans Sachs, Eulenspiegel-Historien und Schildbürger-Streiche, Geschichten voller obszöner und derber Späße, Anekdoten über witzige und närrische Leute, volkstümliche Ortsneckereien und mundartliche Possen, handfeste Theaterkomödien und klamaukhafte Fernsehspiele ... Über Jahrhunderte hinweg sind Schwänke lebendiges Erzählgut geblieben. Auch heute noch lösen ihre komischen Konflikte zwischen Torheit und Klugheit oder Tugend und Laster Gelächter aus, zumal wenn ihre sozial oft niedrig gestellten Helden scheinbar überlegene Kontrahenten mit einem listigen oder boshaften Streich hereinlegen. Mit der Verbreitung des Buchdrucks entstanden im 16. Jahrhundert Schwankbücher, die bis heute populär geblieben sind: *Schimpf und Ernst, Eulenspiegel, Rollwagenbüchlein, Wendunmut, Schildbürger*...
Dieser erste Band einer repräsentativen Auswahl deutscher Schwänke enthält Texte vom frühen Mittelalter bis zum Ende des 16. Jahrhunderts. Vorgestellt werden textlich zuverlässige und zitable Zeugnisse – Originaltexte mit Übertragungen oder Anmerkungen – in chronologischer Anordnung, so daß literarhistorische Entwicklungen und Zusammenhänge deutlich werden und durch Stoff-, Motiv- und Themenvergleiche spezifische Elemente der Schwanküberlieferung erkennbar werden können.
In seinem Nachwort stellt der Herausgeber die Geschichte der Schwankliteratur im Überblick dar.
Die Sammlung wird ergänzt durch einen 2. Band: ›Deutsche Schwankliteratur vom 17. Jahrhundert bis zur Gegenwart‹ (Bd. 9547).

Der Herausgeber   Werner Wunderlich, geboren 1944, Professor für Deutsche Sprache und Literatur an der Hochschule St. Gallen, Gastprofessor an der University of Madison; Veröffentlichungen zur mittelalterlichen und frühneuzeitlichen Literatur, zur Mittelalter-Rezeption, zur Stoff- und Motivgeschichte, zur literarischen Bildung; Mitherausgeber der Reihe *Facetten. St. Galler Studien zur deutschen Literatur* (Haupt-Verlag); Herausgeber des *Eulenspiegel-Jahrbuchs* und mehrerer Ausgaben von Literatur des 16. Jahrhunderts.

DEUTSCHE SCHWANKLITERATUR

Herausgegeben von
Werner Wunderlich

Band I
Vom frühen Mittelalter
bis ins 16. Jahrhundert

FISCHER
TASCHENBUCH VERLAG

Originalausgabe
Veröffentlicht im Fischer Taschenbuch Verlag GmbH,
Frankfurt am Main, April 1992

© Fischer Taschenbuch Verlag GmbH, Frankfurt am Main 1992
Umschlaggestaltung: Buchholz/Hinsch/Hensinger
Abbildung: ›Lesender Esel‹ aus: Strickers Pfaffe Amis
Reproduktion mit freundlicher Genehmigung
der Forschungsbibliothek Gotha
Satz: Fotosatz Otto Gutfreund, Darmstadt
Druck und Bindung: Clausen & Bosse, Leck
Printed in Germany
ISBN 3-596-29546-7

Inhalt

Facetien des 15. und 16. Jahrhunderts

Schwanksammlungen und Schwankromane des 15. und 16. Jahrhunderts

Vorbemerkung

Eine Sammlung von Texten aus etwa tausend Jahren wird hinsichtlich Auswahl und Reihenfolge immer Kompromisse eingehen und Widerspruch in Kauf nehmen müssen. Im Unterschied zu anderen Schwanksammlungen, die sich entweder nur auf einen bestimmten Zeitabschnitt beschränken oder häufig nur Texte in sprachlicher Bearbeitung anbieten, wird hier in den beiden Bänden der Versuch einer repräsentativen Anthologie typischer und für den Druck vereinheitlichter Originaltexte vom Frühmittelalter bis in die Gegenwart unternommen.

Die Anordnung der Texte und Kapitel ist, von wenigen Ausnahmen abgesehen, chronologisch. Dadurch sollen Entwicklungen und Veränderungen in Form und Inhalt von Schwankliteratur des erfaßten Zeitraums systematisch anschaulich werden.

Lateinische Schwänke
vom 10. bis zum 15. Jahrhundert

Das Schneekind

(10. Jahrhundert)

Modus liebinc

Advertite, omnes populi, ridiculum
et audite quomodo
Suuevum mulier et ipse illam defrudaret.
Constantiae civis Suevulus trans aequora
gazam portans navibus
domi coniugem lascivam relinquebat.
   Vix remige triste secat mare,
ecce orta tempestate
furit pelagus, certant flamina, tolluntur fluctus,
post multaque exulem
vagum litore longinquo Notus exponebat.
Nec interim domi vacat coniux.
mimi iuvenes secuntur:
quos et inmemor viri exulis excepit gaudens,
atque nocte proxima
praegnans filium iniustum fudit iusto die.
   Duobus volutis annis
exul dictus revertitur.
occurrit infida coniux,
secum trahens puerulum.
datis osculis maritus illi:
»De quo« inquit »puerum
istum habeas, dic, aut extrema patiaris?«
At illa maritum timens
dolos versat per omnia.
»Mi« tandem »mi coniux« inquit
»una vice in alpibus
nive sitiens extinxi sitim:
unde ego gravida
istum puerum damnoso foetu heu gignebam.«
   Anni post haec quinque transierunt et plus,

Das Schneekind

(10. Jahrhundert)

Modus liebinc

Wohlan, vernehmt, alle Mann für Mann, den tollen Schwank
und hört zu, auf welche Art
eines Schwaben Frau einst ihn, dann er sie überlistet.
Aus Konstanz fuhr einst ein Schwäblein fort über das Meer,
Güter bracht' er in dem Schiff.
Doch zu Hause ließ er zurück sein gar loses Weibchen.
    Das Schiff durchschnitt kaum das wüste Wasser,
seht, ein Wetter tat sich auf,
wütend stieg die Flut, Winde stritten sich, Wogen hoch wallten,
und den heimatlosen Mann
warf an fernen Strand ein Südsturm nach der langen Irrfahrt.
Zu Haus indes war sein Weib nicht müßig.
Mimen kamen an, und es folgten Burschen:
die empfing sie gern und vergaß dabei den fernen Gatten,
sie ward in der nächsten Nacht
schwanger und gebar zu rechter Zeit nicht rechtes Kindlein.
    Zwei Jahre waren vergangen,
da fuhr heimwärts, der Fremdling hieß.
Die Treulos' lief ihm entgegen
mit dem Knaben an ihrer Hand.
Als sie sich geküßt, da fragte jener seine Frau:
»Von wem hast du diesen Knaben da?
Sprich! Oder du wirst Schlimmstes leiden.«
Sie aber, voll Angst vorm Manne,
sann sich Lügen für alles aus.
»Mein«, sprach sie, »mein Mann«, dann schließlich,
»Durst bekam ich an einem Tag in den Alpen,
und ich stillt mit Schnee ihn:
schwanger wurde ich davon,
und ich mußte – ach, wie schändlich! – dieses Kind gebären.«
    Danach warn verflossen fünf Jahr oder mehr noch,

et mercator vagus instaurabat remos,
ratim quassam reficit:
vela alligat et nivis natum duxit secum.
Transfretato mare producebat natum,
et pro arrabone mercatori tradens
centum libras accipit,
atque vendito infanti dives revertitur.
     Ingressusque domum ad uxorem ait:
»Consolare coniux, consolare cara:
natum tuum perdidi,
quem non ipsa tu me magis quidem dilexisti.
Tempestate orta nos ventosus furor
in vadosas sirtes nimis fessos egit
et nos omnes graviter
sol torret: at ille nivis natus liquescebat. «
     Si perfidam Suevus coniugem deluserat.
sic fraus fraudem vicerat:
nam quem genuit nix, recte hunc sol liquefecit.

und der Kaufmann rüstet' unstet seine Ruder,
bessert das morsche Schiff:
zog die Segel auf, und jenes Schneekind nahm er mit sich.
Als er 's Meer durchfahren, bootet' er den Sohn aus,
und für Geld vertraute er ihn einem Kaufmann,
so erhielt er hundert Pfund,
und nachdem er das Kind verkauft hatt', fuhr er reich in sein Heim.
Als er 's Haus betreten, sagte er zum Weibe:
»Tröste dich, mein Weibchen, tröste dich, mein liebes!
Deinen Sohn hab ich verlorn,
den gewißlich ich nicht minder liebte als du selber.
Auf tat sich ein Wetter, wütend trieb der Sturmwind
auf die seichten Bänke uns, die ganz Erschöpften,
und uns alle dörrte sehr die Sonne:
jedoch der Schneegeborne ward zu Wasser.«
     Sein treulos Weib führte so der Schwab hinter das Licht.
List besiegte so die List:
den, der Schnee gebar, den zerschmelzt mit Recht einst die Sonne.

Ekkehard IV.
Casus Sancti Galli

(etwa 1050)

Cum autem etiam Ekkehardus ipse per se esset elemosinarius, iocundum quiddam de eo dicemus. Hominem quendam domesticum cum ad hoc quidem destinaverit, ut, si quos ei pauperes vel peregrinos diceret, clam in domo ad hoc decreta lavaret, raderet, vestitos reficeret et noctibus iussos, ut nemini dicerent, a se emitteret: accidit quadam die, ut ei contractum, Gallum genere, carruca advectum, ut solebat, committeret. Quem ille grossum quidem et crassum cum toto virtutum adnisu, clauso super se solos, ut iussus est, ostio, vix in vas lavacri provolveret, maledicens – erat enim irascibilis –: »Vere«, ait, »simpliciorem quam dominum meum hodie nescio hominem, qui, cui bene faciat, discernere nescit, mihi quoque tam pinguem helluonem dorso sustollere iniunxit.« At contractus, cum aqua sibi lavacri nimis videretur calida, rustice: »Cald, cald est!« ait. At ille, quoniam id Teutonum lingua »Frigidum est« sonat: »Et ego«, inquit, »calefaciam!« Haustamque de lebete ferventi lavacro infudit aquam. At ille cum clamore horrido: »Ei mi! Cald est, cald est!« ait. »Enimvero«, ait ille, »si adhuc frigidum est, ego hodie, si vixero, tibi illud caleficabo!« Et hauriens adhuc ardenciorem infudit. At ille bullientis aque fervorem ferre non sustinens, oblitus contracture citus assurrexit, lavacro exilivit, ad ostium recludendum, ut fugeret, velociter currens, cum pessulo aliquandiu luctatur. Sed et (ille) hominem ubi deceptorem vidit, titionem semiardentem ab igne dicto citius rapiens, grandes sine numero nudo infregit.

At Ekkehardus turbam et voces in superiori domo audiens, acriter in utrumque, cum citius descenderet, Teutonice et Romanice invectus est; hunc, cur falleret, illum, cur sibi ad puniendum hominem non reservasset, increpitans. »Eia«, ille ait, »mi domine severe, tute ei corniculum abmorderes et plures quam ego nunc

Ekkehard IV.
Casus Sancti Galli

(etwa 1050)

Der Lahme im Bade

Nun war aber Ekkehard auch auf eigene Faust Almosengeber, und da werden wir etwas Ergötzliches von ihm erzählen. Er hatte nämlich einen Mann aus der Dienerschaft dazu bestellt, die Armen oder Fremden, die er ihm bezeichnete, heimlich in dem dafür bestimmten Hause zu baden und zu scheren, zu kleiden und zu speisen, und sie bei Nacht fortzuschicken mit der Weisung, reinen Mund zu halten. Also begab es sich eines Tages, daß Ekkehard einen Lahmen von welscher Herkunft, der auf einem Karren herangefahren kam, wie gewohnt seiner Wartung überließ. Der Mensch war aber fett und feist, und als der Diener, wie er geheißen war, die Tür hinter sich und ihm zugesperrt hatte, wälzte er ihn unter voller Anspannung seiner Kräfte gerade knapp in die Badewanne. Da brach er in Lästerungen aus – denn er war jähzornig – und rief: »Wirklich, einen jemals einfältigeren Menschen als meinen Herrn kenn' ich nicht, der da nicht zu unterscheiden weiß, wem er wohltun soll, und mir auferlegt hat, einen so dicken Vielfraß auf meinen Buckel zu nehmen.« Jedoch den Gelähmten dünkte sein Badewasser zu heiß, und so rief er in seiner Bauernsprache: »Cald est, cald est!« Worauf der andere – denn im Deutschen bedeutet das »es ist kalt« – entgegnete: »Und ich will's erwärmen!« Und er schöpfte Wasser aus dem kochenden Kessel und goß es ins Bad. Aber jener schrie mit schrecklichem Gebrüll: »Ei mi, cald est, cald est!« »Wahrhaftig«, sagte der Diener, »wenn es immer noch kalt ist, dann werde ich es dir jetzt, bei meinem Leben, heiß machen!« Und schöpfte noch weiteres und goß es zu. Doch da hielt jener die Siedehitze des Wassers nicht mehr aus; er vergaß seine Lähmung, schnellte hoch und sprang aus dem Bad, und da er zur Tür stürzte, sie aufzuschließen und zu entfliehen, mühte er sich eine ganze Weile an dem Riegel ab. Doch auch der Diener blieb nicht faul und riß,

illius ori infringeres? Enimvero longe aliud ageres: scelestum hunc vestitum et saturum noctu a te deosculatum dimitteres, quod, ut te novi, et hodie facturus es.« Et ille: »O servum«, ait, »furciferum! An non licet mihi facere, quod volo?« et cetera. His peractis castigatum quidem verbis hominem et, ne facinus tale unquam repeteret, furare coactum abire permisit.

wie er begriff, daß der Mensch ein Betrüger sei, im Umdrehen ein halb brennendes Scheit vom Feuer und maß dem nackten Kerl ungezählte Streiche auf.

Doch Ekkehard im oberen Stockwerk vernahm den Aufruhr und das Geschrei. Er kam schleunigst herab, und in deutsch und in romanisch fuhr er heftig auf die beiden los; den einen schalt er, warum er betrüge, den andern, warum er den Kerl nicht ihm zur Bestrafung überlassen habe. »Ach ja«, versetzte der Diener, »mein gestrenger Herr! Würdest denn du ihm ein Härchen krümmen und dem Schwindler mehr Schläge aufbrummen als ich jetzt? Meiner Treu, weit anders würdest du handeln! Du würdest den Schurken kleiden und sättigen, und ihn mit einem Kuß von dir des Nachts entlassen – und das wirst du, wie ich dich kenne, auch heute wieder tun.« Und Ekkehard sagte: »O du Galgenstrick von einem Knecht! Darf ich denn nicht tun, was ich will?« und so fort. Nachdem dies geschehen war, wies er den Mann wenigstens mit Worten zurecht und nahm ihm das eidliche Versprechen ab, nie wieder eine solche Schandtat zu begehen; dann ließ er ihn laufen.

Gesta Romanorum

(14. Jahrhundert)

De adulteris mulieribus et excecacione quorundam
prelatorum

Miles quidam perrexit, ut vineam suam vindemiaret. Uxor autem ejus, putans ipsum diucius moraturum, amasium habuit, pro quo misit, ut cito veniret. Qui cum venisset, cameram intravit. Et cum ambo in stratu essent, venit miles, scilicet maritus, ramo vinee in oculo percussus et ostium perentit. At illa tremebunda aperuit, prius tamen amasium abscondit. Miles ergo intrans oculum doluit et lectum, ut quiesceret, parare jussit. Tunc uxor, timens ne amasium in camera latitantem videre posset, marito ait: »Quid festinas ad lectum? Dic michi, quid tibi accidit?« Illo ergo referente ipsa respondit: »Dimitte me«, inquit, »domine, ut sanum oculum arte medicinali confirmem, ne illo forsitan morbo alterum similiter amittas.« Quod ille sustinens os suum illa quasi pro medicina super mariti oculum sanum apposuit et manu amasio innuens ille recessit. Quo facto dixit uxor marito: »Modo secura sum, quod nullum malum oculo sano eveniet; jam lectum ascende et quiesce!«

Gesta Romanorum

(14. Jahrhundert)

*Von den treulosen Weibern und der Verblendung
mancher Prälaten*

Ein Ritter zog von dannen, um auf seinem Weinberg die Wein-
lese zu halten. Seine Frau aber, welche meinte, daß er sich etwas
lange daselbst aufhalten werde, hatte einen Liebhaber, nach
welchem sie schickte, daß er schnell zu ihr kommen möchte. Wie
nun aber beide sich miteinander niedergelegt hatten, kam ihr
Mann, der Ritter, welcher sich eine Weinranke ins Auge gesto-
ßen hatte, und pochte an die Türe. Sie öffnete mit Zittern,
versteckte jedoch zuvor ihren Liebhaber. Als nun der Ritter
hereintrat, schmerzte ihn sein Auge sehr, und er befahl, das Bett
zu rüsten, damit er sich niederlegen könne; seine Frau aber,
welche fürchtete, er möchte ihren im Gemach versteckten Ge-
liebten sehen können, sprach zu ihrem Mann: »Was willst du
denn so schnell zu Bette? Sage mir doch, was dir begegnet ist.«
Als jener es ihr aber berichtete, antwortete sie: »Laß mich, Herr,
etwas anwenden, das gesunde Auge durch ein Heilmittel zu
kräftigen, damit du nicht etwa durch deine Krankheit auch noch
das andere Auge einbüßest.« Er hielt ihr sein Gesicht hin, und sie
legte etwas wie ein Heilmittel auf das gesunde Auge ihres
Mannes, und auf einen Wink mit ihrer Hand entschlüpfte ihr
Liebhaber. Hierauf sprach die Frau zu ihrem Mann: »Nunmehr
bin ich sicher, daß deinem gesunden Auge nichts Böses wider-
fahren wird; steige jetzt in dein Bett und lege dich schlafen!«

Mensa philosophica

(etwa 1485)

Cum quidam archiepiscopus in
visitatione quandam abbatissam
graviter punivisset propter excessus
suos, et illa instanter peteret ut
aliquid de pecunia relaxaret, dixit:
»Nullam vobis gratiam facio quia vos
non diligo.« Et illa: »Bene credo,
quia capo nunquam diligit gallinam.«

Quidam clericus citabatur ab episcopo
suo quod asinum suum solenniter se-
pelisset cum obsequiis. Qui comparens
dixit asinum fecisse testamentum et le-
gasse episcopo v libras. Tunc episcopus
ait: »Requiescat in pace.«

Quaedam saepius dixit marito suo quod
nunquam duceret alium post mortem ipsius.
Et cum iuxta mariti feretrum de alio lo-
queretur reprehensa ab ancilla quod adhuc
calidus erat ait: »Si est calidus, ego
sufflabo super ipsum donec infrigidetur.«

Bischof und Äbtissin

Als ein Bischof bei einer Visitierung einer Äbtissin wegen ihrer Ausschweifungen eine harte Strafe auferlegte, bat sie ihn dringlich, er solle ihr einen Nachlaß vom Strafgelde gewähren. Er antwortete: »Euch werde ich nie einen Gefallen tun, weil ich Euch nicht liebe.« Darauf erwiderte die Äbtissin: »Das glaube ich gern; der Kapaun liebt ja niemals die Henne.«

Das Testament des Esels

Ein Geistlicher wurde von seinem Bischof vorgeladen, weil er seinen Esel mit allen kirchlichen Ehren begraben hatte. Der Geistliche kam und sagte, sein Esel habe ein Testament gemacht und dem Bischof fünf Mark hinterlassen. Nun sagte der Bischof: »Er ruhe in Frieden.«

Witwentreue

Es hatte eine Frau ihrem Manne stets gesagt, daß sie nach seinem Tode keinen anderen heiraten werde. Als sie dann neben der Bahre des Gatten von einem andern sprach, wurde sie von der Magd getadelt, weil doch der Tote noch warm sei; da sagte sie: »Wenn er noch warm ist, da will ich ihn so lange blasen, bis er kalt ist.«

Versschwänke
vom 13. bis zum 16. Jahrhundert

Der Stricker
Der Pfaffe Amis

(etwa 1240)

Nû saget uns der Strickære,
wer der êrste man wære
der liegen unt triegen ane vienc,
unt wie sîn wille vür sich gienc
daz er niht widersatzes vant.
er het hûs in Engellant
in einer stat ze Trânîs,
unt hiez der phaffe Âmîs.
er was der buoche ein wîse man
unt vergap sô gar swaz er gewan,
beidiu durch êre unt durch got,
daz er der milte gebot
ze keiner zît übergie.
er lie die geste unde enphie
baz denn' ieman tæte,
wand' er es state hæte.
sîn miltekeit was alsô grôz
daz es den bischof verdrôz
dem er was gehôrsam.
daz er des sô vil von im vernam
daz liez er niht âne nît.
er kom zem phaffen z'einer zît.
zuo dem sprach der bischof:
»herre, ir habet grœzern hof
z'allen zîten denne ich;
daz ist harte unbillich.
ir habet überigez guot
daz ir mit höfscheit vertuot;
des sult ir mir ein teil geben.
ir endürfet dâ niht wider streben;
ich enwil's von iu niht enbern;

Der Stricker
Der Pfaffe Amis

(etwa 1240)

Wie der Pfaffe Amis von seinem Bischof geprüft wurde

Nun erzählt uns der Stricker, wer der erste Mann war, der mit
Lug und Betrug begann, und wie er es anstellte, daß er nicht auf
Widerstand stieß. Er lebte in der englischen Stadt Tranis und
hieß der Pfaffe Amis. Er war ein Bücherweiser und verschenkte
alles, was er einnahm zu seiner und zu Gottes Ehre, so daß er zu
keiner Zeit gegen das Gebot der Freigebigkeit verstieß. Er
verabschiedete die Gäste und empfing sie großzügiger als jeder
andere, weil er es sich leisten konnte. Seine Freigebigkeit war so
groß, daß sie seinen Bischof verdroß, dem er Gehorsam schul-
dete. Daß der so viel von ihm vernahm, erfüllte diesen mit Neid.
Eines Tages kam er zu dem Pfaffen, und da sprach der Bischof zu
ihm: »Herr, ihr haltet zu allen Zeiten größeren Hof als ich. Das
ist überaus unrecht. Ihr habt wohl überflüssigen Reichtum, daß
ihr ihn mit höfischem Gebaren verschwendet. Deshalb sollt Ihr
mir davon einen Teil geben und Euch dagegen nicht widerset-
zen. Ich will darauf nicht verzichten. Also müßt ihr es mir

ze wâre, ir müezet mich's gewern.«
dô sprach der phaffe Âmîs:
»mîn muot der stêt ze solher wîs
daz ich mîn guot vil wol verzer,
unt mich des vil gar gewer
des mir über werden sol:
wær's mêre, ich bedörfte 's wol.
ich engibe iu anders nith:
geruocht ir mîner spîse iht,
sô rîtet in daz hûs mîn,
unt lât mich iuwern wirt sîn
swie dicke ez iuwer wille sî,
und lât mich dirre gâbe vrî.
ich engib'iu umbe disiu dinc
nimmer einen phenninc.«
daz wart dem bischove zorn.
»so ist diu kirche verlorn«,
sprach er, »die ir von mir hât,
umb' die selben missetât.«
er sprach:
»des sorg'ich kleine.
âne diz dinc alterseine
ich was iu gehôrsam ie;
dar an versûmet' ich mich nie.
ouch heizet mich versuochen
mit worten und an den buochen.
kunn' ich mîn amt alsô wol
sô ich ze rehte kunnen sol,
des lât ouch geniezen mich.«
der bischof sprach: »daz tuon ich.
sît ich iuch versuochen sol,
sô kan ich iuch versuochen wol
mit kurzen worten hie zehant:
ir habet den habech an gerant
saget mir, wie vil des meres sî;
der rede enlâz'ich iuch niht vrî;

30

gewähren.« Da sprach der Pfaffe Amis: »Meine Art ist es, daß ich meine Einkünfte auch wieder ausgebe und alles daransetze, daß mir nichts davon übrigbleibt. Besäße ich mehr, hätte ichs wohl nötig. Ich entbiete Euch dieses: Wenn Ihr Verlangen nach meiner Tafel habt, dann reitet in mein Haus ein und laßt mich Euer Gastgeber sein, so oft wie es Euer Wille sei und erlaßt mir die Abgabe. Ich gebe Euch aus diesen Gründen nie und nimmer auch nur einen Pfennig.« Da wurde der Bischof zornig und sprach: »Wegen dieses Ungehorsams verliert Ihr die Pfarrstelle, die ich Euch verliehen habe.« Amis erwiderte: »Das besorgt mich nicht weiter. Ich war Euch bis auf dieses eine Mal stets gehorsam. Daran habe ich es nie fehlen lassen. Prüft mich doch mit Worten und nach der Heiligen Schrift. Eigne ich mich für mein Amt so, wie ich es wohl recht können sollte, dann laßt es mich auch künftig innehaben.« Der Bischof sprach: »Das werde ich tun. Wenn ich Euch prüfen soll, dann kann ich das mit wenigen Worten gleich tun. Ihr habt Euch mit einem Habicht angelegt. Sagt mir, wieviel Wasser im Meer ist. Die Antwort darauf erlasse ich Euch nicht, und überlegt sie Euch sehr genau.

unt bedenket iuch vil ebne ê.
saget ir mir minner oder mê,
ich tuon iu solhen zorn schîn,
daz diu kirche muoz verloren sîn. «
»des ist ein vuoder« sprach er.
der bischof sprach: »nû saget, wer
gestêt iu des? den zeiget mir. «
der phaffe sprach: »daz müezet ir.
ich'n liug'iu niht als umbe ein hâr.
endunket ez iuch niht vil wâr,
sô machet ir mir stille stên
diu wazzer diu dar in gên,
sô mizz'ich'z unde lâze iuch sehen,
daz ir mir nâch müezet jehen. «
der bischof sprach zem phaffen:
»sît ir'z alsô wellet schaffen,
sô lât diu wazzer vür sich gân;
ich wil iuch 's mezzens erlân,
sît ich's niht verenden mac.
nû saget mir, wie manec tac
ist von Âdam unze her?«
»der sint siben«, sprach er.
»als die ende hânt genomen,
»sô siht man aber siben komen.
swie lange disiu werlt stê,
ir'n wirt doch minner noch mê. «
daz was dem bischove ungemach.
zorniclîche er zuo dem phaffen sprach:
»nû saget mir aber dâ bî,
welhez rehte enmitten sî
ûf disem ertrîche.
teilt ir'z niht vil gelîche,
ir wert der kirchen âne.
des sagt mir niht nâch wâne. «
der phaffe sprach: »daz sî getân.
diu kirche, die ich von iu hân,

Sagt er mir eine zu kleine oder zu große Menge, gerate ich in so großen Zorn, daß Eure Pfarrstelle verloren ist.« – »Das ist ein Fuder«, antwortete Amis. Darauf der Bischof: »Nun sagt mir, wer bezeugt Euch das? Den müßt Ihr mir zeigen.« Der Pfaffe sprach: »Das müßt Ihr tun. Ich belüge Euch auch kein bißchen! Wenn es Euch nicht wahr dünkt, so haltet mir alle Wasser an, die da hineinfließen, dann will ich es messen und Ihr müßt mir zustimmen.« Der Bischof sprach zum Pfaffen: »Wenn Ihr das so erledigen wollt, so laßt die Wasser weiter fließen. Ich will Euch das Messen erlassen, da ich es nicht fertigbringen kann. Aber sagt mir, wie viele Tage sind seit Adam bis heute vergangen?« – »Derer sieben«, antwortete Amis. »Und wenn die vergangen waren, kamen sieben weitere, solange die Welt besteht, und es sind nicht mehr und nicht weniger.« Das bereitete dem Bischof Verdruß. Zornig sprach er zum Pfaffen: »Dann sagt mir unverzüglich, wo die genaue Mitte der Erde ist. Ihr geht Eurer Kirche verlustig, wenn Ihr es mir nur ungefähr sagen könnt.« Der Pfaffe sprach: »So sei es. Die Kirche, die ich Euch verdanke, die steht

diu stêt enmitten rehte.
daz heizet iuwer knehte
mezzen mit einem seile;
reich' ez an deheinem teile
eines halmes breit vürbaz,
sô nemt die kirchen umbe daz. «
der bischof sprach: »ir lieget.
swie harte ir mich betrieget,
doch muoz ich iu gelouben ê
dann' ich daz mezzen ane gê.
nû saget mir, wie verre
(ir sît ein wîser herre)
von der erde unz an den himel sî. «
der phaffe sprach: »ob ez sô bî,
dar ruofet samfte ein man.
herre, zwîvelt ir iht dran,
sô stîgt hin ûf: sô ruofe ich,
unt hœrter niht vil greite mich,
sô stîgt vil balde her nider,
unt habet iu di kirchen wider. «
daz was dem bischove leit.
er sprach: »iuwer wîsheit
diu müet mich sô sêre.
nuo sagt mir aber mêre,
wie breit der himel müge sîn,
oder diu kirche ist mîn. «
dô sprach der phaffe Âmîs:
»des mach' ich iuch vil schiere wîs.
als mir mîn kunst hât geseit,
sô ist er tûsent klâfter breit
unt dar zuo tûsent ellen.
welt ir si rehte zellen
(des wil ich iu wol gunnen),
sô sult ir die sunnen
und ouch den mânen nemen abe
unt swaz der himel sterren habe,

genau auf dem Mittelpunkt. Befehlt Euren Knechten, dies mit einem Seil nachzumessen. Ist es an einem Ende nur um eine Halmesbreite mehr, so nehmt mir deshalb die Kirche ab.« Der Bischof sprach: »Ihr lügt. Wie sehr Ihr mich auch betrügt, so muß ich es doch eher glauben, als daß ich das Nachmessen anfange. Also sagt mir – Ihr seid ein gelehrter Herr –, wie weit es von der Erde zum Himmel ist.« Der Pfaffe erwiderte: »Es wäre so nahe, daß man leicht hinaufrufen könnte. Herr, zweifelt ihr daran, so steigt nur hinauf: Ich rufe dann, und hört Ihr mich nicht laut und deutlich, so steigt gleich wieder herunter und nehmt Euch die Kirche wieder.« Das machte den Bischof unwirsch. Er sprach: »Eure Schlauheit verdrießt mich sehr. Nun sagt mir aber, wie breit wohl der Himmel ist, sonst ist die Kirche mein.« Da sprach der Pfaffe Amis: »Da kann ich Euch sehr schnell Bescheid geben. Meines Wissens ist er tausend Klafter und tausend Ellen breit. Wenn Ihr nachzählen wollt, will ich Euch das wohl zugestehen. Holt die Sonne und auch den Mond herunter und alle Sterne des Himmels und drückt ihn dann an

unt rücket in dann' über al
zesamen: er wirt alsô smal,
swenne ir in gemezzen hât,
daz ir mir mîne kirchen lât. «
der bischof sprach: »ir kunnet vil:
dâ von ich niht enberen wil,
ir müezet mich dâ mite êren
und einen esel diu buoch lêren.
sît ir den himel gemezzen hât,
und den wec der hin unz dar gât,
unt dar zuo mer und erden,
nû wil ich innen werden
ob iu iht kunne widerstân.
habt ir diz allez getân
daz ir mir hie vore zelt,
sô tuot ir ouch wol swaz ir welt.
nuo wil ich schouwen hie bî
ob daz ander allez wâr sî.
gelêrt ir nû den esel wol,
sô nim' ich allez daz vür vol
daz ir mir habt gesagt,
unt weiz wol, daz ir rehte jagt. «
»nuo gebt mir einen esel her;
den wil ich lêren« sprach er.
dô wart in kurzen stunden
ein junger esel vunden,
den brâhte man dem phaffen dar.
der bischof sprach: »nû nemet war,
unz wenne ir in gelêret hât
daz ir mich die zît wizzen lât. «
der phaffe sprach: »ir wizzet wol,
swer ein kint lêren sol
unz man im wîsheit müeze jehen,
daz enmac nimmer ê geschehen,
er müeze lêren zweinzec jâr:
dâ von weiz ich vüre wâr,

diesen Stellen zusammen: Er wird genau so klein sein, wenn ihr ihn gemessen habt, daß Ihr mir die Kirche belaßt.« Der Bischof sprach: »Ihr könnt viel, das merke ich wohl. Ihr müßt mir zu Ehren einem Esel das Lesen beibringen. Da Ihr den Himmel ausgemessen habt und den Weg, der hin und her geht, und dazu Meer und Erde, so will ich jetzt herausfinden, ob Euch nicht doch etwas unmöglich ist. Wenn Ihr das alles fertiggebracht habt, was Ihr mir hier erzählt habt, so gelingt Euch alles, was Ihr wollt. Deshalb will ich jetzt sehen, ob das andere alles wahr ist. Unterrichtet Ihr den Esel mit Erfolg, nehme ich alles das für die volle Wahrheit, was Ihr mir erzählt habt und weiß dann, daß Ihr recht habt.« – »Dann gebt mir einen Esel, den will ich unterrichten«, sprach Amis. Da ward in kürzester Zeit ein Esel aufgetrieben, den man zu dem Pfaffen brachte. Der Bischof sprach: »Nun macht Euch ans Werk, und wenn Ihr ihn dann unterrichtet habt, laßt es mich rechtzeitig wissen.« Der Pfaffe sprach: »Ihr wißt ja: Wer ein Kind unterrichten soll, bis man es gelehrt nennen kann, der muß dafür mindestens zwanzig Jahre aufwenden. Das weiß ich nun ganz sicher: Wenn ich einen Esel so unterrichte wie ich es

gelêre ich einen esel wol
in drîzec jâren als ich sol,
sît er sprechen nine kan,
dâ muoz es iu genüegen an.«
der bischof sprach: »nû lât sehen.
deiswâr, und mages niht geschehen,
ich gemache iuch harte unvrô.«
nuo dâhte der phaffe dô:
»wir'n geleben nimmer drîzec jâr
alle drî, daz ist wâr,
der esel sterbe oder ich,
ode der bischof. swaz er sich
vermizzet ûf mînen schaden,
des mac mich wol der tôt entladen.«
dô der bischof danne quam,
der phaffe sînen esel nam;
dem hiez er machen einen stal,
da er die kunst wol verhal
wi er in lêren wolde.
ein bœse buoch er holde;
daz leit' er rehte vür in,
unt schutte im haberen dar in
zwischen ieslîchez blat,
unt liez in nie werden sat.
diz tet der phaffe umbe daz,
daz er die bleter deste baz
gelernde werfen umbe.
als danne der tumbe
zwischen einem blate nine vant,
sô warf er umbe zehant
ein anderz unde suochte dâ,
unt suochte aber anderswâ.
als dâ niht mêr inne was,
sô stuont der esel unde las
in dem buoche unz an die stunt,
daz im die liste wurden kunt

soll, werde ich dafür dreißig Jahre benötigen, da er noch nicht einmal sprechen kann; und das muß Euch dann genügen.« Der Bischof sprach: »Nun, laßt sehen. Doch fest steht: wenn es mißlingt, dann werde ich Euch viel Ungemach bereiten.« Da dachte der Pfaffe bei sich: »Nie und nimmer leben wir alle drei noch dreißig Jahre. Entweder stirbt der Esel oder ich oder der Bischof. Womit er mir schaden wollte, davor wird mich der Tod sicher bewahren.« Als der Bischof ihn verließ, nahm der Pfaffe seinen Esel und ließ ihm einen Stall bauen, weil er die Kunst, ihn zu lehren, im verborgenen ausüben wollte. Er beschaffte ein wertloses Buch. Das legte er vor ihn hin und schüttete Hafer zwischen die Blätter. Dann ließ er ihn hungern. Dies tat der Pfaffe, damit der Esel die Blätter um so besser umzuschlagen lernte. Wenn der dumme Esel zwischen den Seiten nichts fand, blätterte er weiter und suchte da und suchte auch anderswo. Wenn aber nichts mehr darin war, stand der Esel so lange davor und »las« in dem Buch, bis ihm der Kniff vertraut war, wie er

wi er den haberen ûz gewan.
daz treiber z'allen zîten an
beidiu vruo unt spâte,
unz er wol gelernet hâte
daz selbe blatwerfen gar.
nû quam der bischof dar,
unt sprach, er wolde wizzen
wie sich hete gevlizzen
sîn esel zuo den buochen.
nu begunde der phaffe suochen
ein buoch niuwe unde vrisch.
daz leit' er vür sich ûf den tisch,
unde sprach den bischof an:
»herre, ich sage iu waz er kan:
er kan blatwerfen wol. «
»daz selbe næme ich vür vol«
sprach der bischof zehant.
»sît er sich es underwant,
des ist sô lanc niht gewesen,
er gelerne ouch wol lesen.
nuo lât mich'z blatwerfen sehen. «
der phaffe sprach: »daz sî geschehen. «
als er daz buoch ûf getete
nâch des bischoves bete,
vuort' er den esel dar.
do er des buoches wart gewar,
dô greif er sâ durch gewin
nâch dem haberen dar in.
swaz er gezzen het unz dar
daz was ûz einem buoche gar.
nu enwas dâ niht inne.
dô warf er nâch gewinne
her umbe ein anderez blat,
unt vant ouch niht an der stat.
dô warf er aber anderswar,
und ersuochte'z buoch alsô gar.

die Haferkörner herausbekommen konnte. Das trieb er nun von früh bis spät, bis er das Umblättern beherrschte. Da kam der Bischof und sprach, er wolle wissen, wie fleißig sich sein Esel beim Lesen anstelle. Da holte der Pfaffe ein ganz neues Buch und legte es vor sich auf den Tisch und sprach zum Bischof: »Herr, ich sage Euch, was er schon kann. Er kann bereits richtig umblättern.« – »Das würde ich gerne sehen«, sprach der Bischof sogleich. »Wenn er sich das in so kurzer Zeit angeeignet hat, dann wird er wohl auch Lesen lernen. Nun laßt mich sein Umblättern sehen.« Der Pfaffe sprach: »So sei es.« Als er auf des Bischofs Bitte hin das Buch aufgeschlagen hatte, führte er den Esel davor. Als der das Buch bemerkte, griff er danach, um an die Haferkörner darin zu kommen; was er bis dahin gefressen hatte, war immer in einem Buch gewesen. Nun war in diesem nichts enthalten. Deshalb warf er auf der Suche nach Futter ein anderes Blatt herum, ohne etwas zu finden. Deshalb blätterte er weiter und durchsuchte so das ganze Buch.

wære ein korn dar inne gewesen,
daz het er ouch ûz gelesen.
dô er ninder niht envant,
do begunder lüejen zehant
so er immer lûtist kunde.
als er des begunde,
dô sprach der bischof: »waz ist daz?«
»des wil ich iuch bescheiden baz«
begunde der phaffe jehen.
»er hât die buochstabe ersehen.
ich lêre in daz â bê cê;
des enhât er niht mê
noch gelernet wan daz â.
der hât er vil gesehen dâ,
dô sprach er'z dicke umbe daz,
daz er'z bedæhte deste baz.
er lernet ûz der mâze wol;
ich lêre in swaz ich sol. «
des was der bischof harte vrô.
alsus schieden si sich dô
harte minneclîche.
nû lôste got der rîche
den phaffen von der selben nôt,
wan der bischof der lac tôt
dâ nâch in einer kurzen zît.
nu enlêrter niht den esel sît.
nuo dûhte der phaffe Âmîs.
die liute alle alsô wîs
daz si gewis wolten wesen,
wær' der bischof genesen,
er het den esel gelêret.
des wart der phaffe gêret
unt harte wîten erkant.
swer daz mære bevant
der reit dar, oder er gienc,
wand' er die liute wol enphienc.

Wäre ein Korn darin gewesen, hätte er es »herausgelesen«. Da er nichts fand, begann er sogleich loszuschreien, so laut er nur konnte. Da sprach der Bischof: »Was soll das bedeuten?« – »Das will ich Euch erklären« begann der Pfaffe auszuführen. »Er hat die Buchstaben gesehen. Ich lehre ihm das ABC; doch hat er bislang nur das A gelernt. Davon hat er im Buch viele gesehen und er hat es oft ausgesprochen, damit er es um so besser im Gedächtnis behalte. Er lernt so sehr gut, und ich bringe ihm bei, was ich soll.« Das machte den Bischof sehr froh. Und so trennten sie sich in bester Freundschaft. Dann erlöste Gott, der Allmächtige den Pfaffen von dieser Not, denn der Bischof wurde todkrank und starb nach kurzer Zeit. Danach unterrichtete er den Esel nicht länger. Den Leuten aber kam der Pfaffe Amis so klug vor, daß sie alle überzeugt waren, wäre der Bischof genesen, hätte Amis dem Esel das Lesen beigebracht. So wurde der Pfaffe verehrt und weithin berühmt. Wer die Geschichte hörte, kam herbeigeritten oder -gegangen, denn Amis bewirtete die Leute gut. Es wurden

des mêrten sich sîne geste,
unz sîn kumber wart sô veste
dêr niht mêr vergelten kunde,
unde dar nâch an die stunde
daz niht mohte geborgen.
do begunder vaste sorgen.
do gedâht' er in sînem muote
»swaz ich ie tete ze guote
daz verlius' ich ganzlîche,
ob ich dem hûs' entwîche:
ich wær' sô gerne drinne.
swie ich daz guot gewinne,
alsô gewinne ich ez ê
dann' ich dem hûse abe gê.
ich wil nâch guote werben;
mîn hûs sol niht verderben. «

aber so viele Gäste, daß die Belastung für ihn so groß wurde, daß er sie sich nicht mehr leisten und sich auch nichts mehr borgen konnte. Da wurde er sehr besorgt und dachte bei sich: »Was immer ich Gutes tat, wäre gänzlich verwirkt, wenn ich jetzt mein Haus aufgäbe, in dem ich so gerne bliebe. Wie immer ich zu Geld komme, ich gewinne es eher, als daß ich das Haus aufgebe. So will ich nach Geld trachten. Mein Haus soll nicht verlorengehen.«

Herrand von Wildonie
Der betrogene Gatte

(2. Hälfte des 13. Jahrhunderts)

Der verkêrte wirt

Aventiure swer die seit,
der sol die mit der wârheit
oder mit geziugen bringen dar:
ob ez ein hübscher habe für wâr,
sô wil lîhte ein unhübscher jehen,
ez enhabe nieman gesehen.
sus getânez strîten
wil ich an disen ziten
zefüeren mit der wârheit.
wan mir ein ritter hât geseit
dise âventiure,
des lîp ist sô gehiure
und an êren sô volkomen:
swaz ich hân von im vernomen,
daz ich daz mit êren mac
wol breiten an den liehten tac.
    Hêr Uolrîch von Liehtenstein,[1]
der ie in ritters êren schein,
sagte mir ditz mære,
daz ein ritter wære
ze Frîûl gesezzen
(und hât er sîn vergezzen,
daz er in mir niht hât genant,
sô tuon ouch ichz iu niht bekant).
der selbe ritter het ein wîp,
diu het ein alsô schœnen lîp,
daz sî was guot ze sehen an;
dâ bî was vil alt der man.
sîn hof an einer ebene lac;
dâ hinder was ein schœne hac.

Herrand von Wildonie
Der betrogene Gatte

(2. Hälfte des 13. Jahrhunderts)

Wer eine abenteuerliche Geschichte erzählt, soll sie mit entsprechender Beglaubigung oder unter Anführung von Gewährsleuten vorbringen. Denn wenn auch ein höflicher Mensch sie so glauben würde, dann könnte doch vielleicht ein weniger höflicher einwenden, daß den berichteten Vorgang niemand gesehen habe. Dieser Art von Angriff will ich von Anfang an begegnen, dadurch daß ich eine glaubwürdige Quelle anführe: Meine Geschichte hat mir ein Ritter erzählt, der so vortrefflich ist und ein so hohes Ansehen genießt, daß ich das, was ich von ihm gehört habe, ohne Sorge vor ehrenrührigem Zweifel im hellen Tageslicht ausbreiten kann.

Herr Ulrich von Lichtenstein, der zu aller Zeit vom Glanz ritterlichen Ansehens umgeben war, erzählte mir diese Geschichte von einem Ritter, der in Friaul begütert war. (Und da er seinen Namen vergessen und mir deshalb nicht mitgeteilt hat, so kann auch ich ihn euch nicht angeben.) Dieser Ritter hatte eine Frau, die so schön war, daß man sie mit Wohlgefallen ansah. Er selbst dagegen war schon sehr alt. Sein Wohnsitz lag im ebenen Land, und gleich dahinter erstreckte sich ein schönes Wäldchen,

47

ûz gên dem hage ein ärker gie,
dâ er des nahtes ruo enphie.
nu was gesezzen nâch bî in
ein ritter, der het sînen sin
gewendet an ditz schœne wîp.
dem selben ritter was der lîp
ze solhen dingen wol gestalt,
des er niht gegen ir entgalt.
   Nu er gedienet het sô vil,
daz diu frouwe im gap ein zil,
wie sî im lônen wolte:
der ritter gerne dolte
disiu mære, wan er nie
sô rehte guotiu mære enphie.
der bote sprach: »min frouwe iu hât
enboten, daz ir lîse gât
hin zuo dem hûse und in dem hage
wartet unde vor dem tage
gâhet under den ärker.
dâ vindet ir nâch iuwer ger
an einer snuor ein vingerlîn
hangent, daz diu frouwe mîn
hât gebunden an ir fuoz.
das ziehet; al zehant sî muoz
sîn werden inne, daz ir sît
hie, und kumt iu an der zît. «
   Der ritter sleich hin bî der naht,
als sîn diu frouwe het gedâht.
er vant snuor und daz vingerlîn
hangent nâch dem willen sîn.
dô greif er zuo und zucte dar.
nu wart der wirt der snuor gewar,
wan sî im gie über ein sîn bein.
dô in daz twanc, er wart enein,
er wolte wecken niht sîn wîp
und doch besehen, waz im den lîp

auf das ein Erker hinausging, in dem er nachts schlief. Nun saß ganz in der Nähe ein Ritter, der hatte seine Neigung der schönen Frau zugewandt. Sein stattliches Aussehen ließ ihn wie geschaffen erscheinen für Eroberungen, doch hatte er bisher bei ihr daraus noch keinen Nutzen gezogen.

Als der Ritter nun so lange im Minnedienst geworben hatte, daß die Dame ihm endlich den Lohn nicht länger versagen mochte, empfing er freudig die ersehnte Nachricht; eine willkommenere hatte er nie erhalten. Der Bote sagte: »Meine Herrin läßt euch ausrichten, ihr sollt euch leise zu ihrem Haus schleichen, im Wäldchen auf der Lauer stehen und dann, ehe der Tag anbricht, unter den Erker eilen. Dort findet ihr – und das wird euch recht sein – eine Schnur mit einem Ring daran, die meine Herrin sich um ihren Fuß gebunden hat. Daran zieht; dann wird sie gleich merken, daß ihr da seid, und zur passenden Zeit zu euch kommen.«

In der Nacht kam der Ritter geschlichen, ganz nach dem Plan seiner Dame, und fand dort, wie erhofft, Schnur und Ring. Er faßte sie und zog, aber der Ehemann bemerkte die Schnur, denn sie lief ihm über ein Bein. Er spürte den Druck, beschloß aber, seine Frau nicht zu wecken, sondern selbst in Erfahrung zu bringen, was da über seinen Körper glitt. Behutsam tastete er

besiffelt; stille greif er dar.
nu wart er schiere des gewar,
wâ diu snuor gebunden was.
die selben snuor er alles las
unz an ein ende in sîne hant.
dô er daz vingerlîn dâ vant,
dô erschrac sîn alter lîp.
er dâhte: »ez wil niht wol mîn wîp. «
vor leide im viel daz vingerlîn
unwizzent von der hende sîn.
    er spranc ûf von dem bette sîn
und lief, dâ er ein türelîn
wiste gênde in daz hac.
der ritter, der dâ wartens phlac,
gedâhte: »ez ist diu frouwe mîn. «
dô er daz kleine türelîn
hôrte ûfgân, er gâhte dar.
der wirt erwischte in bî dem hâr
und schrê nâch dem gesinde sîn.
der gast gedâhte: »wer ich mich dîn,
sô kumt diu frouwe mîn in wort;
sô bin ich an den êren mort.
ich hân mich schiere dir benomen.
du bist ân swert und mezzer komen:
sô hân ich bî mir mîne wer;
dâ von hân ich dir überher. «
    von des wirtes ruof erschrac
diu frouwe, diu vor slâfes phlac.
sî zucte balde an sich ir wât
und dâhte: »owê, mîn man der hât
disen ritter funden hie. «
sî lief, niht blîde sî dar gie,
und spranc ze in beiden in daz hac.
iezuo der obe, der under lac.
sî sprach: »wie nu, waz sol daz sîn?
vil lieber wirt, bedarft du mîn?«

danach und merkte dabei schnell, wo die Schnur festgebunden war. Er zog sie ganz bis zu ihrem Ende herauf und ballte sie in seiner Hand. Schließlich stieß er auf den Ring. Da erschrak der alte Mann und dachte: »Meine Frau hat Schlimmes vor.« Vor Kummer fiel ihm der Ring aus der Hand, ohne daß er es merkte.

Er sprang von seinem Lager und lief zu einer kleinen Tür, die in das Wäldchen hinausführte. Der Ritter nun, der dort Ausschau hielt, glaubte: »Da kommt meine Dame«, und als er das kleine Türlein gehen hörte, eilte er hinzu. Der Ehemann erwischte ihn beim Haar und schrie nach seinem Gesinde. Der Fremde aber dachte bei sich: »Wehre ich mich gegen dich, so kommt meine Dame ins Gerede, und mein eigener Ruf ist hin. Von dir habe ich mich ohnehin schnell losgemacht. Du bist ohne Schwert und Dolch gekommen, ich aber bin bewaffnet und dir dadurch weit überlegen.«

Vom Geschrei des Gatten erwachte die Dame, die vorher noch geschlafen hatte. Schnell zog sie ihre Kleider an und dachte dabei: »O Gott, mein Mann hat den Ritter hier ertappt.« Sie rannte hinaus – nicht daß sie gemessen geschritten wäre – und sprang zu den beiden ins Gebüsch. Der eine lag eben auf dem anderen. Sie rief: »Was bedeutet das alles: Brauchst du meine Hilfe, liebster Mann?« Der antwortete: »Ich möchte gerne wis-

er sprach: »dâ wiste ich gerne, wer
dirre wære, der mir her
ist bekomen ûf mînen schaden.«
sî sprach: »des wirst du lîhte entladen.
gip mir in her und brinc ein lieht;
und gibe ich dir hin wider niht,
waz du mir gîst in mîne hant,
sô habe mîn houbet dir ze phant.«
der wirt gedâhte: »lâze ich sî gân
dâ hin, dâ mêr dan zehen man
ligent, unde zünden lieht,
ich wæn mêr schaden dâ geschiht
danne von dem einen hie.«
er sprach: »nemt hin und merket, wie
ich iu bevilhe disen man.
und lât ir in, sô sît ihr dran
schuldic, daz er her ist komen:
sô wizzet, daz iu wirt benomen
hie der lîp an sîner stat.«
diu frouwe sprach: »swaz ir mir lât,
daz wil ich iu hin wider geben,
oder ir nemt mir mîn leben.«
er gap in ir und lief dâ hin
nâch einem lieht, daz was sîn sin.

    der ritter sprach: »ich bin her komen
iu leider, frouwe, niht ze fromen.«
diu frouwe sprach: »gêt, wartet mîn,
hin in den hof.« »des mac niht sîn«,
sprach der ritter, »schœne wîp.
nu habt ir für mich iuwern lîp
besat; ê danne ich den verlür,
den tôt ich ê mit willen kür.«
sî sprach: »nu sorget niht umb mich!«
er kuste sî: »got der segene dich!«
    waz sî dô tet, daz weiz ich wol,
und weiz, wie ichz iu nennen sol:

sen, wer das ist, der in feindlicher Absicht hierher kam!« –
»Diese Sorge wirst du leicht los. Gib ihn mir zum Halten und
hole ein Licht. Wenn ich dir das nicht wiedergebe, was du meiner
Hand anvertraut, so nimm meinen Kopf als Pfand!« Der Ehe-
mann überlegte: »Lasse ich sie dorthin gehen, wo mehr als zehn
Männer liegen, und ein Licht anzünden, dann entsteht wahr-
scheinlich größerer Schaden als durch den einen hier.« So sagte
er: »Haltet ihn fest und merkt euch sehr gut, unter welcher
Bedingung ich euch den Mann übergebe. Wenn ihr ihn loslaßt,
dann weiß ich gewiß, daß ihr die Ursache seid, weshalb er
hierhergekommen ist. Dann – das laßt euch gesagt sein – töte ich
euch an seiner Stelle.« Die Frau erwiderte: »Was ihr mir anver-
traut, das werde ich euch auch wiedergeben, andernfalls könnt
ihr mich töten.« Da übergab er ihr den Ritter und lief fort in der
Absicht, ein Licht zu holen.

Der Ritter sagte: »Mein Kommen, Herrin, hat euch leider
keine Freude gebracht.« Die Dame aber antwortete ihm: »Geht
nur und wartet im Hof auf mich.« – »Nein, das darf nicht sein,
schöne Frau«, entgegnete der Ritter, »ihr habt doch gerade euer
Leben für mich zum Pfand gesetzt. Ehe ich euren Tod verursa-
chen wollte, würde ich ihn lieber selbst freiwillig wählen.«
Darauf sie: »Sorgt euch nur nicht um mich!« Da küßte er sie und
sagte: »Gott segne dich!«

Was die Dame jetzt tat, ist mir wohlbekannt, und ich weiß
auch, wie ich es euch erzählen werde: Die Dame packte ohne

wan einen esel, den sî vant,
den nam diu frouwe sâ zehant
bî sînen ôren und habte in.
nu hât daz kunter solhen sin,
daz ez im niht wol gezimt,
swer ez bî den ôren nimt.
daz kunter hinder sich dô gie;
daz hac enwart sô dicke nie,
ez endente sich dar in.
sî dâhte: »und lâze ich dich, sô bin
ich schuldic gar umb disen man;
wan ich dich wil ze worte hân. «
dorn, nezzel, manic ast
was dâ niht der frouwen gast,
wan sî ir nâhen wâren bî;
aller kleider wart sî frî.
dô diu frouwe wart gar blôz,
von bluote ir schœner lîp hingôz.
    inne des lief zuo der wirt;
unlange het er sich verirt.
dô brâhte er eine pühel grôz,
diu bran; die frouwen des verdrôz,
daz er sô lange was gewesen.
diu frouwe schrê: »ich mac genesen
niht, ir ungetriuwer man,
von dem, daz ir mir habt verlân. «
nu lief er blâsent (im was gâch),
dâ er sîn wîp in nœten sach;
er wolte ir helfen. dô er vant
ditze kunter in ir hant,
dô erschrac er unde sprach:
»owê, daz ich iuch ie gesach!«
er sprach: »war ist komen der man?«
sî sprach: »nu seht, daz ich hie hân,
daz ir mir gâbet in mîn hant,
sô ir dem tiuvel sît bekant!«

Umstände einen Esel, den sie in der Nähe fand, bei den Ohren und hielt ihn fest. Nun ist es aber eine Eigenart dieses Tieres, daß es ihm nicht behagt, wenn es bei den Ohren genommen wird, und so drängte es nach rückwärts. Das Buschwerk war nirgends so dicht, daß es nicht nachgegeben hätte. Sie dachte: »Ach, wenn ich dich loslasse, so werde ich der Freilassung des Ritters beschuldigt. Ich muß dich als Beweis festhalten.« Dornen, Nesseln und viele Äste wurden der Dame da nur allzu gut bekannt, denn sie kam mit ihnen in nahe Berührung. Alle Kleider wurden ihr vom Leib gerissen, und da sie nun nichts mehr schützte, war ihr schöner Leib bald von Blut überströmt.

Unterdessen kam der Ehemann herbeigelaufen. Er war nur kurz herumgeirrt und brachte jetzt eine große brennende Fackel. Die Dame war ärgerlich, daß er so lange weggeblieben war, und schrie ihn an: »Treuloser Mann! Das was ihr mir zum Halten gabt, will mich umbringen.« Keuchend und in höchster Eile kam er dorthin gelaufen, wo er seine Frau in Bedrängnis sah, und wollte ihr helfen. Als er aber den Esel in ihren Händen fand, erschrak er und sagte: »Weh mir, daß ich euch jemals erblickte! Was ist denn mit dem Mann geschehen?« Sie gab zur Antwort: »Seht her, was ich hier halte, das ist das, was ihr mir selbst in die Hand gegeben habt. Der Teufel soll euch holen!« Er sagte darauf

er sprach: »gât slâfen, ich weiz wol,
daz ir sît bœser triuwen vol.«

Der wirt gienc slâfen, und sîn wîp
saz vor dem bette. schier sîn lîp
entslâfen was. diu frouwe gie,
dô sî in sach sus müeden hie,
hin in den hof und bat ein wîp,
der gevater was ir lîp.
sî sprach: »gât zuo dem wirte mîn
und sitzet für daz bette sîn.
ret er mit iu, sô swîget ir.
ich kume iu, daz geloubet, schier.«
sî sprach: »waz habt ir getân,
daz ir niht selber welt dar gân?«
diu frouwe sprach: »ein zornelîn
ist zwischen uns. nu lât daz sîn,
ob er iuch slahe (des ist vil);
daz selbe ich widerdienen wil:
ich wil iu geben ein halp phunt.«
sî dâhte: »und wirde ich von im wunt,
daz würde mit dem halben heil;
die andern werdent mir ze teil.«
sî gienc hin und saz hin für
und tet vil lîse zuo die tür.
diu frouwe disem ez wol bôt.
wes sî dô phlâgen, des ist unnôt,
daz ich daz ieman tuo bekant.

Der wirt erwachte. dô er vant
sîn wîp niht an dem bette sîn,
er sprach: »welt ir noch spotten mîn?«
sî sweic. er sprach: »nu legt iuch her!«
sî sweic. den rigel zucte er
und legte sî für sich unde sluoc,
unz in selben dûhte genuoc.
er legte sich nider unde phnach.
aber er zorniclîchen sprach:

nur: »Geht schlafen, ich weiß jetzt, daß ihr durch und durch voller Falsch seid.«

Darauf legte er sich schlafen, und die Frau setzte sich vor das Bett. Bald war er eingeschlafen. Als sie ihn so von Müdigkeit übermannt sah, ging sie in den Hof hinunter und bat eine Frau, die mit ihr verwandt war: »Geht hinein zu meinem Mann und setzt euch vor sein Bett. Wenn er euch aber anredet, so schweigt. Seid versichert, ich komme bald wieder.« Die Gevatterin wollte wissen: »Was habt ihr denn getan, daß ihr nicht selber hineingehen wollt?« – »Zwischen uns gab es eine kleine Verstimmung. Nehmt es auf euch, wenn er euch schlagen will, das tut er öfter. Ich werde es euch gut lohnen und euch ein halbes Pfund dafür geben.« Die Gevatterin dachte sich: »Empfange ich von ihm wirklich Wunden, so könnte ich die mit der halben Summe kurieren; dann bliebe mir immer noch die andere Hälfte als Gewinn.« Sie ging hinein, schloß ganz leise die Tür hinter sich und setzte sich vor das Bett. Die Dame aber nahm sich freundlich des Ritters an. Was die beiden taten, brauche ich wohl niemandem zu erläutern.

Als der Ehemann erwachte und seine Frau nicht im Bett fand, rief er: »Wollt ihr euch auch noch über mich lustig machen?« Sie schwieg. »Legt euch her!« Sie schwieg. Da riß er den Riegelbalken von der Tür, legte sie übers Knie und schlug sie, bis es ihm genug schien. Dann legte er sich wieder hin und keuchte. Aber gleich stieg der Zorn von neuem in ihm hoch: »Wenn ihr nicht

»gêt ir niht her, iu mac geschehen,
daz ir ungerne muget sehen.«
diu arme dâhte: »und melde ich mich,
sô ist verloren gar, waz ich
leides hie erliten hân,
und muoz des guotes abgestân,
daz man mir gît. unsælde hât
mich brâht an dise veigen stat.«
er sprach: »und welt ir niht zuo mir,
sô kume aber ich iu sô, daz ir
mich gerne wistet anderswâ.«
er nam den selben rigel dâ
und sluoc ir manigen grôzen slac.
er sprach: »sô ez nu werde tac,
sô jeht, ich habe iuch niht geslagen.
ein wortzeichen sult ir tragen,
daz muoz bewæren mir den man,
den ir valschlîch habt verlân.«
die armen er zen füezen swanc
und zucte ein mezzer, daz was lanc,
und sneit ir ab ir schœne hâr
oberhalp der ôren gar.
er sprach: »ich bin âne angest zwâr,
daz ir iu müget ein ander hâr
gemachen, als ir ûz dem man
einen esel habt getân.«
nu het sô sêre sich erwegen
der wirt, dô er sich wolte legen,
daz er hinviel reht für tôt.

Diu frouwe ez wol ir friunde bôt
und gap im urloup und gie hin
wider zuo der kemenâten in.
sî sprach: »gevaterîn, ir sult gân,
ich wil ouch triuten mînen man.«
diu arme sprach: »daz triuten mîn
mac wol gên im verloren sîn.

herkommt, könnte etwas geschehen, was euch keine Freude machen wird.« Die Arme dachte sich: »Wenn ich mich jetzt zu erkennen gebe, dann war alles, was ich hier über mich ergehen ließ, umsonst, und ich muß auch noch auf die Belohnung verzichten, die man mir versprochen hat. Welch ein unglückseliges Zusammentreffen hat mich an diesen verwünschten Ort gebracht!« Wieder fing der Ehemann an: »Wenn ihr euch jetzt nicht endlich zu mir legt, dann komme ich zu euch, aber so, daß ihr mich weit weg wünschtet.« Er nahm nochmals den Riegel und versetzte ihr eine Menge grober Schläge. Dann sagte er: »Wenn es Tag wird, werdet ihr sicher behaupten, ich hätte euch nicht geschlagen. Aber ihr sollt ein Mal tragen, das mir als Beweis dienen soll für den Mann, den ihr verräterisch freigelassen habt.« Damit riß er die Arme zu Boden, zückte ein langes Messer und schnitt ihr ihr schönes Haar über den Ohren ab. Dazu sagte er: »Ich bin wahrhaftig ohne Sorge, daß ihr euch ebenso schnell neues Haar zulegt, wie ihr aus dem Mann einen Esel gemacht habt!« Das alles aber hatte den Ehemann so gewaltig erregt, daß er, als er sich wieder hinlegen wollte, niederstürzte wie ein Toter.

Die Dame hatte sich inzwischen ihres Freundes liebreich angenommen und ihn dann verabschiedet. Jetzt kam sie wieder ins Schlafgemach und sagte: »Gevatterin, ihr könnt jetzt gehen. Ich will meinen Mann auch liebkosen.« Die arme Mißhandelte antwortete: »Meine Liebkosung war bei ihm eine vergebliche Bemühung. Ich weiß zwar nicht, was ihr ihm angetan habt. Auf

ich enweiz, waz ir im habt getân:
ich hân für iuch ein buoze enphân,
der ich gedenken iemer mac.
sô manigen ungehiuren slac
het, ich wæn, nie wîp erliten.
dar zuo hât er mir abgesniten
mîn schœne hâr. « diu frouwe sprach:
»swer niht lîdet ungemach,
dem wart nie mit gemache wol.
billîch ich iuch ergetzen sol. «
    Diu arme gienc ze ir kinden wider.
diu frouwe smucte sich dar nider
zuo ir wirte lîse gar.
vor müede wart er niht gewar,
daz in daz vil karge wîp
twanc vil nâhen an ir lîp
und twanc ir wengel an daz sîn.
    Dô hôch ûfkam der sunnen schîn,
der wirt erwachte und sach sî an.
er sprach: »hiet ir daz ê getân,
sô möhtet ir mit ruowe sîn. «
sî sprach: »waz meinst du hêrre mîn?«
»ich meine, daz ir vil bœsez wîp
mir habt beswæret mînen lîp. «
»mit welhen dingen, hêrre mîn?«
er sprach: »wâ ist daz vingerlin,
daz an iuwer snüere was
gehangen ab hin ûf daz gras
und gelegt an iuwer zêhen?
nu welt ir mir daz aberflêhen,
daz ich vergezze solher tât,
die iuwer lîp begangen hât. «
si sprach: »zwiu het ich daz getân?«
»dâ het ir einen fremden man
heizen komen in daz hac.
diu snuor ûf mînem beine lac.

alle Fälle habe ich aber an eurer Stelle eine Strafe dafür erhalten, an die ich immer denken werde. So viele gewaltige Schläge hat, glaube ich, noch keine Frau erduldet. Zudem hat er mir auch noch mein schönes Haar abgeschnitten.« Darauf sagte die Dame: »Wer niemals Schmerz erduldet, kann auch die Freude nicht richtig würdigen. Natürlich werde ich euch gebührend entschädigen.«

Die Arme ging wieder zu ihren Kindern zurück. Die Dame aber schmiegte sich behutsam an die Seite ihres Mannes. Der war so müde, daß er gar nicht merkte, wie seine schlaue Frau ihn ganz eng an sich preßte und ihre Wange an die seine legte.

Die Sonne stand schon hoch am Himmel, da erwachte der Ehemann und sah sie an. »Hättet ihr mich schon eher so umarmt«, sagte er, »so könntet ihr jetzt ruhig sein. « – »Was meinst du denn, mein Gemahl?« – »Ich meine, daß ihr eine ganz schlechte Frau seid und mir schwere Unbill angetan habt.« – »Und wodurch, mein Gemahl?« – »Wo ist denn der Ring, der bis auf das Gras hinabhing an jener Schnur, die an eurer Zehe befestigt war? Jetzt wollt ihr mich wohl durch Bitten dazu bringen, daß ich vergesse, was ihr mir angetan habt.« – »Was habe ich euch denn getan?« – »Ihr wißt sehr wohl, daß ihr einen fremden Mann in das Wäldchen bestellt habt. Die Schnur lief über mein Bein, und als er daran zog, war ich es, der kam.

dô er ziehen die began,
dô kam ouch ich. den selben man
begreif ich nâch dem willen mîn
bî dem hâre und den ôren sîn. «
sî sprach: »war tâtet ir den man?«
»ir gewunnet mir in an,
alsô daz iuwern valschen lîp.
ich iemer hazze, bœsez wîp. «
»sît ich in iu angewan,
nu war hân ich in getân?«
»dô gâbet ir vil valschez wîp
mir mînen esel für sînen lîp;
den hieltet ir bî sînen ôrn.
habt ir mich für einen tôrn?
dâ bin ich iu doch zuo ze grâ. «
sî sprach: »waz tâtet ir mir dâ?«
»daz ist an iuwerm rucken schîn. «
sî sprach: »seht ir die slege mîn,
so sult ir haben ez für wâr. «
sî endacte sich; dô sach er dar.
sî sprach: »ist schœn der rucke mîn,
sô mac ez iu wol getroumet sîn. «
er sprach: »nu zeiget iuwer hâr!«
»war umbe?« »dâ hân ichz iu gar
abgesniten. « »jâ, ir helt,
und habt ir mich dar zuo erwelt,
daz iu von mir troumen sol;
daz mînen êren stât niht wol?«
er sprach: »ir lât ez ungern sehen. «
sî sprach: »und ist ez niht geschehen,
sô sît ir gar âne sin,
sô wizzet, daz ich iemer bin
iu gehaz und wil ez klagen
dar zuo allen mînen mâgen. «
er sprach: »den zorn welt ir hân
dar umbe, ich müeze ez iu verlân.

Diesen Mann ergriff ich, wie ich mir das vorgenommen hatte, bei den Haaren und an den Ohren.« – »Und wohin brachtet ihr dann den Mann?« – »Ihr habt ihn mir ja abgelistet. Ich werde euch wegen dieses Betrugs ewig hassen, nichtswürdiges Weib.« – »Wenn ich ihn euch aber abgelistet habe, wohin habe ich ihn denn dann gesteckt?« – »Ihr Betrügerin habt mir einen Esel statt seiner gegeben, den hieltet ihr an den Ohren gefaßt. Haltet ihr mich denn für einen Narren? Dafür sollte ich euch doch zu grau sein.« – »Wie habt ihr mich dann bestraft?« – »Das wird euer Rücken zeigen.« – »Wenn ihr tatsächlich Spuren von Schlägen daran entdecken könnt, so will ich zugeben, daß ihr recht habt«, sagte sie und entblößte ihren Rücken. Der Mann schaute ihn an. »Ist mein Rücken ohne Makel, so müßt ihr die ganze Geschichte wohl geträumt haben.« – »Nun, dann zeigt mir einmal euer Haar!« – »Warum?« – »Weil ich es euch gänzlich abgeschnitten habe.« – »So, so, mein Held, habt ihr mich dazu geheiratet, daß ihr Dinge von mir träumt, die meinem Ruf abträglich sind?« – »Ihr wollt mich euer Haar also nicht sehen lassen?« – »Doch, aber wenn nichts damit geschehen ist, dann müßt ihr von Sinnen sein, und ich werde euch – das laßt euch gesagt sein – immer verabscheuen; außerdem werde ich mich über die ganze Geschichte bei allen meinen Verwandten beklagen.« – »Ich verstehe, ihr spielt jetzt die Zornige, damit ich euch die Probe erlasse. Ich denke aber nicht daran, seid versichert. Ich bestehe

wizzet, sîn mac niht geschehen,
ich enmüeze iuch schôn gestrælet sehen. «
sî sprach: »welt ir sîn niht enbern,
sô lâze ich iuch ez sehen gern:
sô hân schôn gestrælet ich
gên im, mit dem ir zîhet mich. «
    sî brach ir rîsen ab in zorn
und sprach: »hân ich mîn hâr verlorn,
daz ist dem leit, durch den ichz tragen
wil an den næhsten vîretagen. «
nu was der frouwen hâr sô lanc,
daz ez ir ûf diu hüffel spranc.
der wirt erschrac und dâhte: »ich bin
unsælic und gar âne sin.
wes hân gezigen ich mîn wîp!
ez ist billîch, daz mir ir lîp
niemer mêre werde holt;
daz hân ich wol gên ir verscholt.
wâfen, wie ist mir geschehen!
und het ich selber niht gesehen
ir schœnen lîp, ir schœne hâr,
ich wolte wænen, ez wær wâr. «
er sprach: »liebe frouwe mîn,
nu lâzet iuwer zürnen sîn,
wan ich mit iu geschimphet hân. «
sî sprach: »des sult ir mich erlân,
daz ir die schimphe mit mir hânt,
die mir an mîn êre gânt.
nu suochet solher wîbe muot,
die solhe schimphe hân verguot. «
er sprach: »liebe frouwe mîn,
von samît oder baldekîn
gibe ich iu einen mantel guot,
daz ir lât iuwern zornes muot. «
sî sprach: »nu sî durch iuch getân;
ir suls aber fürbaz mich erlân. «

darauf, eure hübsche Haartracht zu sehen.« – »Wenn ihr tatsächlich nicht darauf verzichten wollt, so will ich sie euch gern sehen lassen. So schön habe ich mich frisiert für den, mit dem im Einverständnis zu sein ihr mich beschuldigt.«

Damit riß sie zornig ihr Schleiertuch vom Kopf und rief: »Sind meine Haare wirklich abgeschnitten, dann wird das dem leid tun, dem zum Trotz ich sie an den nächsten Feiertagen offen tragen werde!« Und das Haar der Dame fiel lang herab bis zu den Hüften. Da erschrak der Ehemann und dachte: »Ich Unglückseliger muß den Verstand verloren haben. Wessen habe ich meine Frau nur bezichtigt! Sie hätte ganz recht damit, mich immer zu verabscheuen; ich habe das verdient. O Gott, was ist nur mit mir! Hätte ich nicht selbst ihren unversehrten Rücken und ihr unversehrtes Haar gesehen, ich hätte darauf geschworen, meine Beschuldigung sei wahr!« Laut aber sagte er: »Liebe Gemahlin, laßt ab von eurem Zorn! Ich habe mit euch nur meinen Scherz getrieben.« Worauf sie entgegnete: »Verschont mich gefälligst mit solchen Scherzen, die meinem guten Ruf zu nahe treten. Sucht einmal eine Frau, die solche Scherze gutmütig hinnimmt!« – »Liebe Gemahlin, ich will euch auch einen schönen Mantel aus Samt oder kostbarer Seide schenken, wenn ihr nur euren Zorn fahren laßt.« – »Gut, um euretwillen bin ich dazu bereit. Aber verschont mich in Zukunft damit.«

Nu möhte wir des wizzen niht,
von welhen dingen diu geschiht
wær geschehen, wan daz wîp,
der zerslagen wart der lîp,
diu sagte ez durch solhen muot:
diu frouwe wolte ir niht dazu guot
geben, daz sî ir het benant;
dâ von wart uns daz mære bekant.
der iuch der âventiure mant,
der ist von Wildonie Herrant.

1 Hêr Uolrîch von Liehtenstein:
Ulrich von Lichtenstein, Lyriker und Epiker aus dem Ministerialenge-
schlecht von Lichtenstein in der Steiermark, um 1200–1275/76.

Von den verborgenen Zusammenhängen dieser Geschehnisse wüßten wir nichts, wenn nicht die Frau, die die Schläge erhielt, sie ausgeplaudert hätte. Sie tat das aus folgender Veranlassung: Die Dame wollte ihr die Belohnung nicht geben, die sie ihr versprochen hatte, deshalb erfuhren wir die Geschichte. Der sie euch hier erzählt hat, das ist Herrand von Wildonie.

Minnedurst

(14. Jahrhundert)

Ez ist war daz ich iu sage,
daz vrouwen kunnen alle tage
man hovelichen triegen
und machent si ze giegen
mit maneger hande sachen.
daz wip man kunnen swachen
und in solich list an tuon
daz si tumber werdent dann ein huon,
daz prüev ich bi dem mære
daz ich iu hie bewære
und daz ich iu sage hie,
wellet ir nu hœren wie
ein wip betrouc ir rehten man,
do er wolte hochzit mit ir han
und er des ersten bi ir lac.
bedriez es iuch, so ich ez sag,
so heizet stille mich gedagen,
e ich ze vil sin wolte sagen
und ob ichz iu niht lieben kan.
alsus heb ich daz mære an:
Ein knab in einem dorfe saz,
der do bi den ziten was
ein vrecher stolzer jungelinc,
und kund ouch alliu siniu dinc
mit vuoge wol vürbringen.
sagen unde singen
kund er wol und treip sin vil.
in dem dorf was sin gespil
diu des meigers tohter was.
diu geviel im verre baz
dann ir gespilen alle.
mit ir treip er vil kalle

68

Minnedurst

(14. Jahrhundert)

Was ich euch sage, ist wahr: Die Frauen verstehen sich darauf, die Männer tagaus, tagein meisterlich zu betrügen und sie mit mancherlei Einfällen zu Narren zu machen. Daß Frauen die Männer dabei in Schande bringen und sie derart anführen, daß sie dümmer werden als ein Huhn, das beweist uns die Geschichte, die ich euch hier glaubwürdig erzählen werde, wenn ihr hören wollt, wie eine Frau ihren Ehemann betrog, und zwar noch beim Beilager der Hochzeitsnacht. Ist es euch aber unangenehm, wenn ich dies erzähle, und kann ich es euch nicht schmackhaft machen, so laßt mich schweigen, ehe ich zuviel sage.

In einem Dorfe wohnte ein junger Mann, der damals ein unerschrockener, stattlicher Bursche war und seine Pläne mit gutem Geschick auszuführen verstand. Er konnte auch Geschichten erzählen und Lieder singen und tat das nicht selten. Nun hatte er im Dorfe eine Spielgefährtin, die die Tochter eines Bauern war. Die gefiel ihm viel besser als alle ihre Kameradinnen. Mit der führte er manches Liebesgespräch und war in Wort

die zuo der minne horten.
mit werken und mit worten
was er ir gar heimlich.
si haten beide sament sich
mit liebe so vereinet:
ietweder daz ander meinet
mit vil ganzen triuwen.
ir liebe kund sich niuwen
von tag ze tag ie baz ie baz.
Nu wart der meiger innen daz
daz sin tohter liebe pflac
mit dem knaben alle tag.
des wart sin herz bekumbert do.
er wolte daz sin tohter so
ze jungst ein elich næme,
(daz was ir widerzæme)
wan der knabe was niht guotes rich.
der meiger do bedahte sich,
er woltes geben einem man
den si zer e müeste han.
nu vuogte sich diz dinc also
daz der selbe meiger do
ir vriuntschaft wolte scheiden;
daz wart in angest beiden.
er gab sin tohter einem man
den sie elich muoste han.
des wart ir ungemüete schin,
daz si den stolzen knaben vin
dannen solte miden.
daz was ein bitter liden
in beiden und ein ungemach,
wan in so leide nie geschach.
Do nu diu hochzit solte sin,
da kam manec vrouwe vin
gezieret und gekleidet wol,
als man ze briuten komen sol

und Tat ganz ihr Vertrauter. Sie hatten sich in gegenseitiger Liebe gefunden und waren einander in aufrichtiger Zuneigung verbunden. Ihre Liebe erneuerte sich und wuchs von Tag zu Tag. Der Bauer merkte jedoch, daß seine Tochter täglich mit dem Jungen Umgang hatte, und das war ihm nicht lieb, weil er sie bald verheiraten wollte. Das wiederum gefiel ihr gar nicht, denn der Junge war arm. Der Bauer aber war nun einmal willens, sie einem Mann in die Ehe zu geben, und deshalb kam es bald dahin, daß er ihr Verhältnis untersagte; das sahen die beiden mit Sorge. Er versprach seine Tochter einem Mann zur Ehe, und das Mädchen grämte sich, daß sie den hübschen, geraden Jungen künftig nicht mehr sehen sollte. Für sie beide war es ein großer Kummer und Schmerz; schlimmeres Leid war ihnen nie widerfahren.

Als nun die Hochzeit gefeiert werden sollte, kamen viele schöne Frauen prächtig geputzt und gekleidet, wie man zu einer Braut kommen soll und wie es die Sitte verlangt. Der junge

und als ez der site was.
der selbe knabe vuogte daz
er an sins liebes hande gie.
do daz reigen ane vie
und man tanzen do began,
do began erz heben an
mit ir lieplich kosen.
»min ros ob allen rosen«,
sprach er, »und mines herzen trut,
nu soltu hinaht sin ein brut;
daz wirt niht vürbaz me gespart.
gedenk ob ich ie liep dir wart,
und laz mich durch den willen min
nu so vil heimlich zuo dir in
unz ich ein klein mit dir gerede!
gein dir ich mich ein teil entlede
des leides und der swære min
die ich han von den schulden din.«
si sprach: »gern ich daz vüegen sol.
nu soltu merken mich vil wol,
so daz ich dich iht strafe:
kom an dem ersten slafe,
so ist entslafen liht min man.
liht ich in überreden kan
daz er sin niemer wirt gewar.
mit worten leg ich ez so dar
daz er sin niht wirt innen.
nu soltu vil wol sinnen
daz du komest uf die zit,
und sinc daz liet daz du mir sit
dick hast gesungen sit der vart
daz ich von erst din triutel wart;
so kan ich eben merken dich.
du solt des sicher sin uf mich:
ob dir daz kunn gezemen,
ich wil dich lazen nemen

Mann richtete es so ein, daß er an der Hand seines Liebchens ging. Und als der Reigen anfing und man zu tanzen begann, flüsterte er ihr zärtliche Worte zu. »Du Rose, schöner als alle andern Rosen«, sagte er, »du Vertraute meines Herzens, heute nacht sollst du Weib werden; das bleibt dir nun nicht länger mehr erspart. Wenn du mich je geliebt hast, so denke jetzt daran und erfülle meine Bitte: laß mich heimlich so lange bei dir ein, bis ich ein wenig mit dir geplaudert habe. Das wird mir etwas das Leid und die Schmerzen lindern, die ich um deinetwillen leide.« Sie entgegnete: »Das will ich gerne einrichten. Paß gut auf, damit ich dich nicht schelten muß: komm zur Zeit des ersten Schlafes, dann ist mein Mann sicher eingeschlafen. Ich kann ihm leicht etwas vormachen, so daß er die Wahrheit nicht erfährt, und werde die Worte so wählen, daß er keinen Verdacht schöpfen kann. Du mußt aber darauf achten, daß du zur rechten Zeit kommst. Dann singe das Lied, das du mir früher so oft gesungen hast, seit dem Tage, an dem wir uns zum erstenmal in Liebe fanden. Dann weiß ich, daß du es bist. Du kannst ganz sicher sein; wenn es dir Freude macht, will ich dir die erste Nutzung

den ersten nutz von minem lib
den ich dir sunder valschen kib
nu lange her gehalten habe. «
»des tuon ich gerne«, sprach der knabe,
»und sol dir gerne sin bereit
mit willeclicher arebeit.
daz du, liep, gebiutest mir,
daz leist ich dir mit ganzer gir
als ich nu von rehte sol.
du hast getrœstet mich so wol
daz min leit hat geminret sich. «
Sin herze wart do vröuden rich,
daz er von vröuden spranc enbor.
er gie manegen tanz da vor
e daz der tac ein ende nam.
und do diu naht herzuo kam
und daz ezzen was bereit,
do wart nieman verseit
weder trinken noch ezzen.
do menclich was gesezzen,
man gap in allen grozen rat.
swaz der wirt guotes hat,
daz hiez er allez tragen dar.
man gap ie zwein sunderbar
gebraten würst ze leste.
der wirt pflac siner geste
schon und wol an allen haz.
der briutegam am ende saz
und pflac der spis da al die naht.
er hate keines dinges aht
wan niuwan wie er würde vol.
man nam den tisch uf als man sol,
do man gezzen hate.
nu wart ez also spate
daz man nider wolte gan.
daz wart schiere do getan.

meines Leibs überlassen, den ich ohne Falsch so lange unberührt für dich bewahrt habe.« – »Das tu ich gerne«, sagte der Junge, »und ich werde mir Mühe geben, daß du mit mir zufrieden bist. Was du, Liebste, von mir verlangst, erfülle ich von Herzen gern, wie es ein rechter Liebhaber soll. Du hast mich so gut getröstet, daß mein Schmerz nachgelassen hat.«

Sein Herz war so voller Freude, daß er vor Fröhlichkeit einen Luftsprung machte. Er tanzte noch manchen Tanz, ehe der Tag zu Ende ging. Als es dann Abend wurde und das Essen bereitet war, durften alle nach Herzenslust essen und trinken. So viele es auch waren, alle bekamen genug. Was der Gastgeber Gutes hatte, das ließ er auftragen; zum Schluß reichte man jedem Paar für sich gebratene Würste. So bewirtete der Hausherr seine Gäste aufs beste und freundlichste. Der Bräutigam saß am Ende der Tafel und ließ es sich den ganzen Abend lang schmecken. Er achtete auf nichts anderes, als gehörig seinen Wanst zu füllen. Als man fertig war, hob man die Tafel auf, wie es üblich ist. Es war inzwischen so spät geworden, daß man zu Bett gehen wollte, und das tat man dann auch gleich.

Sie giengen nider, daz beschach.
als schier der knabe daz ersach,
sin herz gewan do guoten wan.
er gedaht: »min dinc wil vür sich gan.«
wan ez wol uf die zit wart,
der knabe do niht langer spart,
er gie hin vrolich, unverzaget,
als im sin liep het gesaget
und ouch sines herzen trut.
er huop uf und sanc vil lut
beidiu wider unde vür
sin liet vor sines liebes tür,
unz si in erhorte.
ir man daz wenic sporte,
ir tockelmusen des si pflac,
wan er an dem bette lac
und was wins und slafes vol,
als noch von reht ein sluch sol
der niht liebe pflegen kan.
si sprach: »hœrst tu, lieber man?
mich dürstet also sere,
daz ich kein wile mere
mac ligen; ich muoz uf stan,
hin zuo der wazzergelten gan
und da leschen minen durst.
ich az hint ein gebraten wurst
diu so ser versalzen was;
davon soltu niht zürnen daz,
ob ich von dir gan trinken.
min herze will versinken
von grozem durste den ich han.
davon muoz ich hinabe gan
trinken; daz mac niht anders sin.«
er sprach: »lic stille, vrouwe min!
ich bringe dir mit ganzer ger
den schaffen vollen wazzers her.«

76

Man ging also schlafen. Sobald das der Junge sah, wurde sein Herz froher Hoffnung voll. Er dachte: »Nun erfüllen sich meine Wünsche.« Da bereits die verabredete Zeit gekommen war, säumte er nicht länger; fröhlich und unverzagt ging er dorthin, wohin ihn sein Schatz, seine Herzallerliebste, bestellt hatte. Er begann zu singen und sang sein Lied wieder und wieder vor der Tür der Geliebten, so lange bis sie ihn hörte. Ihr Ehemann bemerkte wenig von dem heimlichen Betrug, den sie angezettelt hatte, denn er lag im Bett und war voll Wein und Schlaf, wie üblich bei einem Völler, der zur Liebe nicht taugt. Da sagte sie: »Höre, lieber Mann, mich dürstet so sehr, daß ich keinen Augenblick länger liegenbleiben kann; ich muß aufstehen, zum Wasserzuber gehen und dort meinen Durst löschen. Heute abend habe ich eine Bratwurst gegessen, die schwer versalzen war. Du mußt nicht ärgerlich sein, wenn ich dich allein lasse und mir zu trinken verschaffe. Ich verschmachte vor Durst, deshalb muß ich jetzt hinuntergehen und trinken; sonst halte ich es nicht aus.«

Er meinte zwar: »Bleib ruhig liegen, liebe Frau, ich bringe dir gern einen ganzen Schöpfeimer voll Wasser.« Sie aber antwor-

si sprach: »lic still, des tuon ich niht!
ob got wil, niemer daz beschiht
daz ich dich von mir laz uf stan.
du solt ligen und ruowe han
und solt daz bette wermen mir.
ich smück mich dester næher dir,
so ich herwider kere. «
Waz sol ich sagen mere?
der kriec under in lange wert
doch volget er ir des si gert.
er lie si von im gan hinabe.
da het gewartet ir der knabe.
den lie si tougen zuo ir in.
si sprach: »trut geselle min,
wis mir und gote willekomen!«
als ich diu mære han vernomen
und ich underwiset bin,
den ersten nutz nam er do in
den sie im geheizen het.
mit ir willen er daz tet
und leites zuo der gelten nider
und tet ir da als man noch sider
tuot nahtes an dem bette.
er bot ir da ze stete
den schaffenstil in ir hant.
den satzte si an sa zehant
da er ir allerbeste tet,
vil wol si in gevazzet het
so si beste kunde.
si ruoft uz lutem munde:
»gehœrstuz, min vil lieber man?
daz ist gestochen und gevan.
ich setz iez an, daz sag ich dir.
davon wünsche glückes mir
und sprich daz mir ez got gesegen,
wan ich mich trinkens han verwegen

tete: »Nein, bleib du liegen, ich kann das nicht annehmen. Bei Gott, das soll nimmer geschehen, daß ich dich aufstehen lasse. Du mußt liegen und dich ausruhen und sollst mir inzwischen das Bett wärmen. Wenn ich wiederkomme, schmiege ich mich um so näher an dich.«

Was soll ich weiter erzählen? Ihr beider Streit dauerte einige Zeit, doch schließlich fügte er sich ihrem Wunsch und ließ sie hinuntergehen. Dort wartete der Junge, den sie heimlich ins Haus ließ und mit den Worten begrüßte: »Liebster Freund, sei mir und Gott willkommen.« Wenn man mir die Geschichte recht erzählt hat, so nahm er jetzt die erste Nutzung vor, die sie ihm verheißen hatte. Er fand sie willig und legte sie neben den Zuber auf die Erde und verfuhr mit ihr so, wie man es sonst nachts im Bett tut. Er gab ihr gleich den Schöpfeimerstiel in ihre Hand, und sie setzte ihn dort an, wo er ihr am besten tat. Sie hielt ihn nach bestem Können gefaßt und rief mit lauter Stimme: »Hörst du es, mein lieber Mann? Das heißt man stechen und fangen. Ich setze eben an, sage ich dir. Wünsche mir Glück und sprich, daß es mir Gott segnen möge, denn ich fange eben an zu trinken und

und wil leschen minen durst
uf die wol gesalzen wurst
diu hinaht komen ist in mich.
davon laz niht verdriezen dich
und laz dich niht belangen!
ich han erst angevangen
und kome so ich erste mac,
wan ich dir zeware sag:
ich wil mich e ergetzen
mins durstes und ansetzen
als dick unz ich erlesch in gar. «
der knabe bot ir aber dar
sinen schaffenstil als e.
vil lute si do aber schre:
»gehœrstuz? ich setz aber an
zem andern mal, wan ich niht kan
minen durst erleschen noch. «
do sprach ir man: »nu hastu doch
wazzers eine gelten vol,
daz du in maht erleschen wol.
davon trink vast, min liebez wib!
daz ez müeze wol tuon dinem lib,
des wünsch ich so ich beste kan. «
der knabe satzt ir aber an
zem dritten mal den schaffenstil.
den kundes eben unde vil
wol ansetzen an die stat
da si den durst so grozen hat.
als ich mich versinne,
si durste nach der minne
der si da mit dem knaben pflac.
dristunt er bi ir gelac
bi der wazzergelten da.
er lescht ir den durst iesa
mit vlize an der selben vart.
si sprach: »trut geselle zart,

will meinen Durst löschen auf die gesalzene Wurst hin, die heute abend in mich geraten ist. Deshalb laß es dich nicht verdrießen und werde nicht ungeduldig! Ich habe eben erst angefangen, werde aber wiederkommen, so früh ich irgend kann. Ich sage dir ehrlich: erst muß ich meinen Durst löschen und so oft ansetzen, bis er ganz gestillt ist.« Da reichte ihr der Junge den Schöpf-eimerstiel zum zweitenmal. Wieder rief sie laut: »Hörst du es? Ich setze zum zweitenmal an, denn mein Durst ist immer noch nicht gelöscht.« Der Ehemann aber rief zurück: »Du hast doch einen ganzen Zuber voll Wasser; damit wirst du ihn schon löschen können. Darum trinke nur kräftig, meine liebe Frau. Daß es dir wohltue, das wünsche ich dir von Herzen.« Und zum drittenmal setzte ihr der Junge den Schöpfeimerstiel an. Sie verstand das nicht schlecht, ihn genau an die Stelle zu setzen, wo sie den großen Durst empfand. Wenn ich es recht überlege, so dürstete sie nach der Minne, die sie mit dem Jungen verband. Dreimal befriedigte er sie dort am Wasserzuber und löschte ihr dabei den Durst mit aller Sorgfalt. Schließlich sagte sie: »Mein zärtlicher Geliebter, wir müssen uns aufmachen, ehe mein Mann

wir suln uns heben hinnen,
e es min man werd innen,
daz unser liebe blibe rein.
wæger ist, mit lieb ein klein
dan michel vröud mit ungemach.
min man der tæt mich iemer swach
sin, würd ers an mir gewar.
sust sin wir aller sorgen bar
und ze lieb uns beiden,
ob wir ein zit uns scheiden«,
sprach sie. »trut geselle vruot,
maz ist zallen dingen guot,
als ich ez vernomen han.«
Sust schiet der knabe von ir san
und nam urloup von ir sider
und leits sich zuo ir man hin wider.
der was slafes also vol,
daz er niht kunde merken wol
noch des wenec nemen aht
waz si begangen het die naht
mit dem knaben vin und kluoc.
Hievon si geseit genuoc
und hab diu red ein ende.
daz got die valschen schende
die ir man betriegen
und alle zite liegen
durch ir valsche missetat,
daz ir werde niemer rat!

etwas merkt, damit unsere Liebe ohne Verdacht bleibt. Besser ist eine kleine Freude ohne Beeinträchtigung als eine große mit nachfolgendem Verdruß. Mein Mann würde mich immer schmähen, wenn er die Geschichte erführe. Wenn wir uns jedoch eine Zeitlang trennen, so haben wir nichts zu fürchten und können uns aneinander freuen. Liebster, kluger Freund, Mäßigkeit ist überall von Vorteil, das hab' ich oft erfahren.«

So schied der Junge von ihr und nahm Abschied. Sie aber legte sich wieder zu ihrem Mann, der so schlaftrunken war, daß er nichts sah und hörte und auch nicht bemerkt hatte, was sie diese Nacht mit dem hübschen Jungen getrieben hatte.

Genug davon, die Geschichte ist aus. Gott möge die falschen Frauen strafen, die ihren Mann belügen und ihn immerfort arglistig betrügen; niemand soll ihnen helfen!

Der Ritter mit den Nüssen

(14. Jahrhundert)

Man sol vrouwen sprechen guot;
er ist sælec swer daz tuot.
sumlich vrouwen kunnen vil.
davon vernemet ein bispil,
wie ein ritter wart betrogen;
daz wil ich sagen ungelogen.
do er von siner vrouwen reit
eines tages nach gewonheit
ze velde mit den hunden,
si besande zuo den stunden
ir vil heimlichen trut
(daz tet si niht überlut),
daz er schiere quæme
und ir boteschaft vernæme.
do er die boteschaft vernam,
er was vro unde quam.
do er in die kamer trat,
do giengens an die bettestat,
die vil heimlichen holden,
und taten swaz si wolden.
waz aber si zwei taten,
daz möht ein münich raten.
Nu widervuor dem wirt ein regen,
daz er wider kerte under wegen.
er gedaht: »du wirdest naz;
kere heim, so tuostu baz!«
wan diu wolken vluzzen.
do waren gangen nuzzen
kint, diu er überreit.
diu vluhen ouch den regen breit
e daz ez vast an güzze.
do heten si ein teil der nüzze

Der Ritter mit den Nüssen

(14. Jahrhundert)

Von Frauen soll man nur Gutes reden – glücklich, wer danach
handelt! Manche Frauen sind voller Einfälle; vernehmt dazu eine
Geschichte, wie ein Ritter betrogen wurde. Ich will sie euch
erzählen, so wie sie sich zugetragen hat.

Der Ritter ließ eines Tages nach seiner Gewohnheit seine Frau
allein, um mit den Hunden über Feld zu reiten. Da schickte sie
augenblicklich und in aller Verschwiegenheit ihrem heimlichen
Liebhaber eine Botschaft, er solle schnell zu ihr kommen. Der
freute sich über die Nachricht und machte sich auf den Weg. Er
trat zu ihr in die Kammer, und die heimlichen Geliebten legten
sich auf das Bett und taten, wonach ihnen der Sinn stand. Was
die zwei aber taten, das könnte selbst ein Mönch erraten.

Indessen geriet der Ritter in einen Regenschauer und kehrte
unterwegs wieder um. Er dachte: »Du wirst nur naß. Besser, du
reitest heim!«, denn es regnete in Strömen. Er ritt an einigen
Kindern vorbei, die zum Nüssepflücken ausgezogen waren. Die
brachten sich auch vor dem Regen in Sicherheit, ehe es richtig
zum Gießen kommen würde, und einige der gepflückten Nüsse
hatten sie in ihre Kleider gesteckt. Als nun der Ritter zu den

in ir buosem gebrochen,
davon ich han gesprochen.
do er den kinden quam hin neben,
er bat im der nüsse geben.
er huop dar sinen huot.
in duht diu kurzewile guot.
diu kint diu redten niht dawider.
Do reit der ritter heim sider.
sin winde liefen im vor
unde kratzten an dem tor,
daz der ritter ser erschrac
der an des wirtes bette lac.
er horte daz der wirt was komen.
diu vrouwe het ez ouch vernomen.
si stuont uf in allen gan:
»ir dürfet keine sorge han,
her ritter, liget stille!
ich rat ez iu und ist min wille.
der umbehanc ist so gelesen,
iu mac arges niht enwesen.
ich sol iuch hinnen bringen
mit gevüegen dingen.
swaz ich spriche, swiget ir.
ich hilf iu hinnen, gloubet mir!«
Do der wirt in den hof quam,
zehant man im sin pfärit nam.
unz er quam zer kemenaten vür,
do het si uf getan die tür
und saz bi einem steine.
der ritter lac dort eine
hinderm umbehange.
darnach enwas niht lange
daz der wirt in gienge
und in diu vrouw empfienge.
»wip«, sprach er, »waz tuostu?«
»do wold ich«, sprach sie, »iezuo

Kindern kam, erbat er sich ein paar Nüsse und hielt seinen Hut hin, denn er erhoffte sich guten Zeitvertreib damit, und die Kinder erfüllten seine Bitte.

Dann ritt der Ritter weiter heimwärts. Seine Windhunde liefen voraus und kratzten an das Tor, so daß der Ritter, der im Bett des Hausherrn lag, gewaltig erschrak, denn er begriff, daß der Ehemann heimgekommen war. Die Frau hatte es auch gehört; sie stand in aller Eile auf und sagte: »Ihr braucht keine Angst zu haben, Herr Ritter, liegt nur ganz still! Das ist mein Rat und Wunsch. Der Vorhang vor dem Bett ist so dicht, daß ihr außer Gefahr seid; ich werde euch schon mit einer passenden List davonbringen. Jedoch, was ich auch sagen werde, ihr müßt dazu schweigen. Vertraut auf mich, ich helfe euch davon.«

Der Ehemann ritt jetzt in den Hof, wo man sogleich sein Pferd in Empfang nahm. Bis er die Kemenate erreichte, hatte sie längst die Tür aufgeschlossen und sich auf eine Treppenstufe gesetzt. Der fremde Ritter lag unterdessen allein hinter dem Vorhang. Bald darauf kam der Mann herein, und die Frau begrüßte ihn. »Frau, was tust du?« – »Eben wollte ich zu Bett gehen. Es war

slafen sin gegangen.
mich begunde sere belangen
daz ich also eine saz.
got, waz mac dich gehelfen daz
daz du zallen stunden
ritest mit den hunden
und last mich eine sitze?
pflægestu guoter witze,
du wærest dicker bi mir,
wan ich din unsanft enbir.«
er sprach: »ich han dir nüzze braht.«
si sprch: »du hast wol gedaht;
daz ich niht kurzewile han,
dem hastu wol gelich getan,
wan du bist wol gewizzen.«
Do sazen si und bizzen
der nüzze uz der vrouwen schoz.
des gastes angest diu was groz
der da lac verborgen.
»ir endürft niht sorgen«,
sprach sie, »her ritter an dem bette!
ich hilf iu hinnen ane wette
uz dirre kemenaten.
ir sit hie unverraten,
als ich iuch e des beschiet.
iu kan hie gewerren niet.
waz solde man iu verwizen?
helft uns ouch der nüzze bizen,
wan iu hie nieman schaden sol.«
Si nam der nüzz ein hantvol
und warf sie undern umbehanc.
daz bizen duht den gast ze lanc.
der wirt begundes ane sehen:
»ach got, wie ist dir geschehen?
zuo wem sprichstu disiu wort?«
si sprach: »ja lit ein ritter dort

mir sehr langweilig, so allein zu sitzen. Lieber Gott, wozu soll das nur gut sein, daß du ständig mit den Hunden ausreitest und mich allein sitzen läßt? Wärst du bei rechtem Verstande, dann bliebst du öfter bei mir, denn ich misse dich ungern.« Darauf er: »Ich habe dir Nüsse mitgebracht.« Und sie erwiderte: »Du hast dir ganz richtig gedacht, daß ich keine Unterhaltung habe und hast danach gehandelt. Du bist doch ein gescheiter Mann.«

Da saßen sie nun und bissen die Nüsse auf, die im Schoß der Frau lagen. Die Angst des Fremden, der da in seinem Versteck lag, war nicht gering. »Ihr braucht euch nicht zu sorgen«, sagte die Dame, »Herr Ritter im Bett, ich helfe euch ganz bestimmt aus dieser Kemenate. Ihr werdet hier nicht verraten, ich habe euch das früher schon gesagt, und es besteht keine Gefahr für euch. Was könnte man euch schon vorwerfen? Helft uns ein wenig beim Nüssebeißen, niemand will euch etwas Böses.« Sie nahm eine Handvoll Nüsse und warf sie hinter den Vorhang. (Die Nußbeißerei schien dem Fremden eine Ewigkeit zu dauern.) Der Mann sah seine Frau an: »Bei Gott, was ist denn los mit dir? Mit wem sprichst du da?« Sie antwortete: »Es liegt ein Ritter dort in unserem Ehebett.« – »Ich weiß genau, du hast im

an unser beider bettestat. «
»ich weiz wol, du hast es rat
nu ze disen ziten.
er törste min niht biten.
wær er da, daz gloub ich dir,
du enseitestz weiz got talanc mir. «
»nu wil ichs keine sünde han;
ich heize dich selbe dar gan.
stant uf und warte wer er si!
er lac mir sider vil nahe bi.
daz du so schiere bist komen,
daz hat uns vröuden vil benomen.
er ist ein helt vermezzen. «
»zeware, duz hast bilsen gezzen«,
sprach er, »oder wuotscherlinc.
got gebezzer diniu dinc
und helfe daz du din sinne
müezest wider gewinne.
des wære dir vil groze not!
wer wære der uf sinen tot
an min bette gienge,
daz ich in erslüeg od vienge?
des soltu bedenken dich
und lazen din betœren mich. «
do sprach des ritters vrouwe:
»schouwe, here, schouwe!
wænestu daz ich elbisch si?
mir wonent guote witze bi.
du bist an diner rede betrogen!
ich han dir selten e gelogen.
stant uf und ganc selbe dar,
so wirdestu zehant gewar,
ob ez war si od gelogen. «
»ich blibe von dir unbetrogen,
daz du talanc schaffest
daz du mich also affest,

Augenblick niemanden hier. Niemand würde auf mich zu warten wagen. Wäre jemand hier, das glaube ich dir, dann würdest du mir das, weiß Gott, niemals erzählen.« – »Ich will keine Sünde auf mich laden und fordere dich darum auf, selbst hinzugehen. Steh auf und sieh nach, wer es ist! Er lag eben noch sehr nahe bei mir. Daß du sobald zurückgekehrt bist, hat unser Vergnügen jäh beendet. Er ist ein kühner Mann.«

»Wahrlich, du hast Bilsenkraut gegessen«, sagte der Ritter, »oder Schierling. Gott sei dir gnädig und helfe dir, deinen Verstand wiederzugewinnen, das täte dir wahrhaftig not! Wer sollte das wohl sein, der in Erwartung des sicheren Todes sich in mein Bett legte, damit ich ihn erschlüge oder gefangennähme? Das mußt du dir doch selber sagen, also hör auf, mich zum Narren zu halten.« Da rief die Rittersfrau: »Schau, schau, du glaubst also, daß ich verhext bin? Ich bin aber bei vollem Verstand. Du bist es, der Unsinn redet! Habe ich dich je belogen? Steh nur auf und geh selber hin, dann wirst du gleich sehen, ob es wahr ist oder gelogen.« – »Wie sehr du dich auch bemühst, es wird dir nicht gelingen, mich so zu reizen, daß ich hingehe.

daz ich dar quæme
und niht da vernæme,
daz du sin danne lachetest
und dinen spot machetest
uz mir vor allen wiben!
ich sol und wil hie bliben,
wan ich getruwe dir der warheit niht.«
si sprach: »diu red ist gar enwiht;
getru sin niht tuot dicke leit,
doch ist ez gar ein warheit
(daz wil ich nemen uf minen eit)
allez daz ich dir han geseit.
du getarst niht dar gan!
des bistu ein verzageter man.
des lit er da von rehte
glich einem edelen knehte.«
swie vil si in des beschiet,
iedoch quam er dar niet.
jener der daz bette bute,
wan er ir wol getrute,
der beiz der nüzze kleine.
er het si lieber eine
ze sant Jacobe geholt,
dann er die angest het gedolt.
Do si sines ernstes warte,
die rede si umbe karte:
»genanne«, sprach sie, »gloube mir,
ich han unrehte gesaget dir,
wan da ist rehte nieman,
wan ich dir alles guotes gan.
doch sag ich dir ein mære:
ob ein ritter hinne wære,
den wold ich hinnen bringen
mit gevüegen dingen,
daz er uz dem huse quæme
und keinen schaden von dir næme.«

Wenn ich nämlich dort nichts fände, würdest du über mich lachen und mich zum Gespött machen vor allen Frauen. Ich werde schön hierbleiben, denn ich glaube einfach nicht, daß du die Wahrheit gesagt hast.«

Sie aber begann noch einmal: »Das sind törichte Worte; ungläubig sein hat schon manchen gereut. Alles, was ich dir gesagt habe, ist die reine Wahrheit, das will ich gerne beschwören. Du hast einfach nicht den Mut hinzugehen, du bist eben ein Feigling! Deshalb liegt er dort mit vollem Recht wie ein Edelknabe.« Aber soviel sie ihm auch zuredete, er ging nicht hin. Jener, der das Bett hütete, weil er ihr Vertrauen schenkte, biß freilich wenig Nüsse auf. Lieber hätte er sie ganz allein beim heiligen Jacob geholt, als solche Angst ausstehen zu müssen.

Als die Dame merkte, daß ihrem Mann ernst war mit seiner Weigerung, schwenkte sie um. »Liebster«, sagte sie, »glaub mir, ich habe dich nur anführen wollen! Hier ist natürlich niemand, denn ich will ja nur dein Bestes. Doch das eine sage ich dir: Wenn wirklich ein fremder Ritter im Zimmer wäre, dem würde ich mit einer geeigneten List davonhelfen, so daß er aus dem Hause käme, ohne daß du ihm etwas anhaben könntest.« – »Wie

er sprach: »wie woldestu dan tuo?«
si sprach: »daz sag ich dir iezuo:
do næme ich dich sah zehant
zuo mir under min gewant
und begund dich an mich twingen
und vaste mit dir ringen.
alsus bedackt ich dir din houbet.
ich spræche: her gast, des gloubet,
daz ich sin niht enlaze.
nu get bald iuwer straze
und rumet uns daz bette san.
daz houbet ich im bedecket han. «
Do si den gast also beschiet,
er ensumte sich des weges niet,
er gienc hin uz vil lise.
also half si ir amise.
do er quam sine straze,
si begund imz houbet laze
und greif im vornen an den schopf:
»hab uf, buole, dinen kopf
und sich mich vrolichen an!
daz ich in schimpfe getriben han,
daz vertrage durch dine güete!«
Vor übelen wiben sol man sich hüete
die also kunnen musen.
man sol toren mit kolben lusen.

würdest du das denn anstellen?« – »Das will ich dir gleich sagen: Ich nähme dich unter mein Gewand, drückte dich an mich und balgte kräftig mit dir. Auf die Weise verhüllte ich dir den Kopf. Dann spräche ich: Herr Fremdling, seid versichert, ich lasse ihn nicht los. Nun macht euch schnell auf den Weg und verlaßt das Bett, ich habe ihm den Kopf verhüllt.«

Als sie ihren Gast so unterwiesen hatte, zögerte dieser nicht länger und machte sich ganz leise auf den Weg ins Freie. So kam sie ihrem Liebhaber zu Hilfe. Als der im Freien war, ließ sie ihres Mannes Kopf los und faßte ihm vorn in den Haarschopf: »Schau auf, mein Liebling, und sieh mich fröhlich an! Vergib mir freundlich, daß ich meinen Scherz mit dir getrieben habe.«

Vor bösen Frauen, die sich so auf Trug verstehen, soll man sich hüten; Toren aber soll man mit Knüppeln lausen.

Die böse Adelheid

(14. Jahrhundert)

In einem dorfe saz ein man
der nie guoten tac gewan.
daz geschach von sinem wibe:
si swuor bi irem libe
daz si nimmer wolte werden guot.
daz beswart im sinen muot.
er was geheizen Markhart
(we im daz er geboren wart!)
und si diu übel Adelheit.
si tet im jarlanc herzeleit.
Eins tages sazens ob dem viure.
der imbiz was im tiure.
er sprach: »liebe Adelheit,
ist der imbiz iht bereit?
gip uns, daz dir got lone!
ez nahet schier diu zit der none.«
»und wær ez din grimmer tot,
du enbizest talanc kein gebrot.
du muost noch hiute vasten
biz dir din ougen glasten.«
guot Markhart het ein pfenninc,
damit schafft er siniu dinc.
er wolt in daz dorf loufen
und im ein brot koufen.
do muost er sich e roufen,
mit dem übeln wib und boufen.
si sluoc in sere unde stiez,
daz im nieman gehiez
sin leben vür den grimmen tot,
hæt er genomen do daz brot.
er gedaht in sinen sinnen:
»wes sol ich beginnen

Die böse Adelheid

(14. Jahrhundert)

In einem Dorf wohnte ein Mann, dem kein einziger froher Tag beschieden war. Daran war seine Frau schuld: sie hatte bei ihrem Leben geschworen, daß sie niemals gutartig werden wollte. Das drückte ihm das Herz ab. Er hieß Markhart (wehe ihm, daß er geboren wurde) und sie »die böse Adelheid«. Sie quälte ihn Jahr und Tag.

Eines Tages saßen sie am Herd; er hatte lange nichts zu essen bekommen und sagte nun: »Liebe Adelheid, ist das Mahl noch nicht fertig? Trag uns auf, Gott wird's dir lohnen. Es geht bald auf die Mittagszeit. « – »Und wenn es dein bitterer Tod wäre: du wirst jetzt kein Brot essen. Du mußt heute fasten, bis dir die Augen vor Hunger glänzen. « Nun hatte der wackere Markhart aber etwas Geld, womit er sich durchhalf. Er wollte ins Dorf laufen und sich ein Brot kaufen. Doch kam er nicht davon, ohne sich vorher mit der bösen Frau zu raufen und zu prügeln. Sie schlug und stieß so heftig, daß niemand geweissagt hätte, er werde am Leben bleiben und nicht eines grimmigen Todes sterben, wenn er das Brot wirklich gekauft hätte. Da dachte er

daz ich die valentinne
uz minem wege bringe?«
Do er sin not überwant,
der guote Markhart gie zehant
hin under sines selbes tür.
da gie manec man hin vür
die gein Aufpurc wolten gan.
daz merke vrouwe unde man:
der guote Markhart moht niht lan,
er huop von ezzen wider an.
er sprach: »liebe Adelheit
(daz dir geschehe nimmer leit!),
sich, da gat manec man hin,
mich entriege dann min sin,
belib er heim, ez duht mich guot.
er vertrinkt hiut mantel und huot.«
si sprach: »du wirst es niht erlan,
du muost ouch ze markte gan.«
er sprach: »liebe Adelheit
(dir geschehe lemmer leit!),
daz beste ich dir raten sol:
belip hie heim und hüete woll«
si sprach: »habe dir den rat,
wan durch dich nieman enlat!
kanstu mich vil wol verstan?
ich wil ouch ze markte gan.«
er sprach: »merk ez wie ichz meine
la die pfenninge hie heime
darumb ich gap min guot rint!
des hant schaden miniu kint.«
sie sprach: »ich will dir rehte sagen:
ich wil si selbe mit mir tragen
und wil davon hiute zern;
daz kan mir nieman entwern.«
Diu wile wert unlange,
do kam ein man gegangen,

bei sich: »Wie soll ich es nur anfangen, daß ich mir die Teufelin aus dem Wege räume?«

Als er nun diese Bedrängnis überstanden hatte, ging der brave Markhart hin und stellte sich unter seine Haustür. Da gingen viele Leute vorbei, die nach Augsburg wollten. Nun merkt, ihr Damen und Herrn: Markhart konnte es nicht lassen, er fing wieder vom Essen zu reden an. Er sagte: »Liebe Adelheid (nimmer soll dir Leid geschehen), sieh, mancher geht da des Weges. Doch wenn ich mich nicht irre, so dünkt mich, es wäre besser, er bliebe daheim: er wird heute doch nur Mantel und Hut vertrinken.« Sie entgegnete: »Es bleibt dir nicht erspart, du mußt auch zum Markt gehen.« – »Liebe Adelheid (Lämmerleid soll dir geschehen), wenn ich dir das Beste raten soll: bleib zu Hause und sei wachsam.« – »Behalte deinen Rat für dich, denn um deinetwillen unterläßt niemand etwas. Hast du mir gut zugehört? Ich will auch zum Markt gehen.« Da sprach er: »So höre, was ich dazu meine: Laß wenigstens das Geld zu Hause, das ich für mein gutes Rind einnahm. Sonst müssen meine Kinder den Schaden tragen.« Sie entgegnete: »Laß dir's gesagt sein: Ich werde das Geld eigenhändig mitnehmen und heute davon zehren; niemand kann mich daran hindern.«

Eine kleine Weile später kam ein Mann vorbei, der hatte einen

den het ein rock umbvangen
(der selbe rock, der was bla)
und ein zwifach schaprun gra.
er truoc an im ein guot swert
und einen niuwen huot wert.
der guote Markhart gemeit
sprach ze siner Adelheit:
»nu luog ze disem affen!
wi ist er geschaffen?
er wirt uz im machen
daz man sin beginnet lachen.
er tregt einen blawen rock
reht alsam er si ein bock;
ein swert tregt er und einen huot.
ez endunket mich niht guot.«
si sprach: »du wirst es niht erlan!
du muost ouch ein blawen rock han.«
er sprach: »guote Adelheit,
als liep ich dir si geseit,
des erlaz mich durch got,
wan ich würd der liute spot!«
si sprach: »du wirst es niht erlan!
du muost ein blawen rock han.«
er sprach: »liebe Adelheit
(dir geschehe lemmer leit!),
so koufe mir des bœsten!«
si sprach: »nein, des besten
des ich zuo Auspurc vinde
veil umb min pfenninge.«
Diu wile wert unlange;
si kamen in die stat gegangen.
si kouft des besten siben eln,
so siz am markte mohte weln,
und hiez daz sniden schiere
umb guoter pfenge viere
und hiez in machen rehte wol

Rock an, einen blauen Rock, und einen doppelten grauen Man-
tel. An der Seite trug er ein gutes Schwert, und dazu hatte er
einen schönen neuen Hut auf. Da sprach der wackere Markhart
fröhlich zu seiner Adelheid: »Nun schau dir diesen Affen an! Wie
sieht er nur aus! Er bringt's noch dahin, daß man ihn auslacht.
Einen blauen Rock hat er an, als ob er ein Bock wäre, und dazu
trägt er Schwert und Hut. Das gefällt mir ganz und gar nicht.«
Darauf sie: »Du kommst nicht darum herum, du mußt auch einen
blauen Rock haben.« – »Gute Adelheid, wenn ich dir lieb bin,
erlaß mir das um Gottes willen. Ich würde ja zum Gespött der
Leute!« – »Du kommst nicht darum herum, du mußt einen
blauen Rock haben.« – »Liebe Adelheid (Lämmerleid soll dir
geschehen), so kaufe mir wenigstens einen ganz billigen.« –
»Nein, es soll einer von den besten sein, die ich in Augsburg um
mein Geld feil finde.«

Eine kleine Weile später kamen sie in die Stadt. Sie kaufte
sieben Ellen vom besten Stoff, den sie auf dem Markt auftreiben
konnte, und hieß ihn um vier gute Pfennige zuschneiden und

als in ein biderman tragen sol.
do der rock was bereit,
er sprach: »liebe Adelheit,
wellen wir iht schiere heim?«
si sprach aber: »neina nein!«)
»so kouf uns ein rockebrot!
im huse ist uns maneges not.
des schœnen han ich keine pfliht.
ich wil ouch hinz dem wine niht.
win ich niht trinken sol,
wazzer tuot mir also wol.«
si sprach: »wær ez din grimmer tot,
du muost ezzen weizbrot
und trinken den besten win
so er iendert hie mac sin.«
damit wolt si in tœten;
si wolt in vröuden nœten.
si vuort in mit ir sazehant
da si den besten win vant.
do si nider sazen,
trunken unde azen
daz ir dinc in wol stuont,
als noch vil liute tuont,
er sprach: »trut Adelheit
(dir geschehe lemmer leit!),
merke nu waz ich dir sage:
wir suln trinken unz ze tage!«
Do Adelheit die rede vernam,
balde huop si sich von dan,
Adelheit diu vreche
lief ze tal bim Leche.
si trat ze nach uf daz gestat
und gie ein vil engez pfat.
er sprach: »trita herdan baz!«
si sprach: »warumbe tæt ich daz?
sit du mich sin hast gebeten,

einen Rock daraus machen, wie ihn ein rechtschaffener Mann tragen soll. Als der Rock fertig war, sagte Markhart: »Liebe Adelheid, wollen wir nicht bald heimgehen?« Sie antwortete wieder: »Nein und abermals nein!« – »So kauf uns Roggenbrot, denn wir haben im Haus noch an vielem anderen Bedarf. Nach dem feinen Brot hab ich kein Verlangen, und auch zum Wein zieht es mich nicht. Ich will keinen Wein trinken, Wasser bekommt mir ebenso gut.« – »Und wenn es dein grimmiger Tod wäre, du mußt Weizenbrot essen und den besten Wein trinken, der hier zu haben ist.« Damit dachte sie ihn umzubringen und ihm Verdruß zu bereiten, und sogleich führte sie ihn mit sich dorthin, wo sie den besten Wein fand. Als sie sich niedergelassen und getrunken und gegessen hatten, fühlten sie sich wohl und zufrieden, wie das vielen Leuten so geht. Da sagte Markhart: »Liebe Adelheid (Lämmerleid soll dir geschehen), hör auf meine Worte: wir wollen bis zum Morgengrauen trinken!«

Als Adelheid das hörte, brach sie unverzüglich auf. Dreist, wie sie war, ging sie auf ganz schmalem Pfad lechabwärts und kam dabei dem Ufer zu nahe. Markhart sagte: »Tritt doch weiter zurück.« Sie jedoch erwiderte: »Wie käme ich dazu? Gerade weil du mich darum gebeten hast, will ich noch näher herantreten.«

ich wil baz hinzuo treten!«
daz schuof ir unreiner haz
daz si hinin blatzte baz.
der Lech der truoc si an der stunt
vast hin an den tiefen grunt,
daz er si niemer mer gesach.
daz was im lützel ungemach.
er sprach: »du wolst nie volgen mir
daz ist ze schaden komen dir.
nu suocht ich gerne, west ich wa,
beidiu hie und anderswa.
du wær ie so widerspæne
daz ich gedenk und wæne
du siest an der stunde
hin wider berc gerunnen.«
der guote Markhart niht enlie,
hin wider berc er schlere gie.
ein rechen nam er in die hant.
wider berc suocht er zehant
die ungetriuwen Adelheit.
Ein herre im engegen reit:
»guoter man, waz wirret dir?
daz soltu hie sagen mir.«
»herre min, daz ist niht lanc
daz mir ein wip hie ertranc.«
der herre sprach: »wann oder wa?«
»daz tet si verre niden da.«
»so suoches ouch dort nidene!
wes suochestus hie obene?«
»herre, si was so widerspæne
daz ich gedenk und wæne,
si si ze disen stunden
het ze berg gerunnen.«
er sprach: »het si solhen muot,
so ist liht din suochen guot.
daz beste ich dir raten wil

So brachte es ihre böse Wesensart dahin, daß sie ins Wasser plumpste. Der Lech zog sie sogleich hinunter, tief bis auf den Grund. Daß er sie niemals wieder erblickte, das war Markhart ein geringer Kummer. Er sagte: »Du hast mir nie folgen wollen, deshalb bist du jetzt zu Schaden gekommen. Ich wollte dich ja gerne suchen, hier oder andernorts, wüßte ich nur wo. Doch warst du stets so widerspenstig, daß ich sicher glaube, du bist schnurstracks bergauf geschwommen.« Der brave Markhart wandte sich also, ohne zu zögern, flußaufwärts. Einen Rechen nahm er zur Hand und suchte weiter oben im Fluß seine ungehorsame Adelheid.

Da kam ihm ein Herr entgegengeritten, der fragte: »Guter Mann, was ist dir zugestoßen? Sag es mir doch!« – »Ach Herr, vor kurzem ist mir hier meine Frau ertrunken.« Der Herr fragte: »Wann und wo?« – »Dort weit unten ist es geschehen.« – »So suche sie doch auch dort unten! Warum suchst du sie denn hier oben?« – »Herr, sie war so widerspenstig, daß ich überzeugt bin, sie ist geradewegs flußaufwärts geschwommen.« Der Herr antwortete: »War sie von solcher Art, so suchst du wohl richtig. Aber ich will dir Besseres raten: tue kurzentschlossen, was ich

und volge mir in kurzem zil
und tuo ir nimmer suochen!
den tievel laz ir ruochen!«
do volgt er siner lere
und suochtes nimmer mere
und liez si ligen als si lac
und lebte hernach noch manegen tac.

sage, und suche sie überhaupt nicht mehr. Soll sich doch der Teufel um sie kümmern!« Da folgte Markhart seinem Ratschlag: Er suchte sie nicht länger, sondern ließ sie liegen, wo sie lag, und hat dann noch ein hohes Alter erreicht.

Die Meierin mit der Geiß

(14. Jahrhundert)

Swer tougen wirbet umb diu wip,
dem erlachet dicke der lip
so er ze weideliuten kumet.
diu minne den vrouwen also vrumet,
swenn ein vrouwe vor ir man
ir willen niht gevüegen kan
noch vor grozer huote,
si vindet in ir muote
also mangen spæhen lift,
des doch guot ze lachenn ist.
daz ist mir an mangen dingen kunt.
Ez was ein meier zeiner stunt,
der het ein minneclichez wip.
wol gestalt was ir der lip;
daz ist ane zwivel war.
gel als diu side was ir har;
ir kinn, ir bra man loben sol;
ir ougen stuonden kürlich wol;
ir munt und ouch ir wengelin
die gaben roselehten schin;
ir löckel reide unde gel,
ir brüstel klein und sinewel,
ir arme gedrollen unde blanc;
lind und hoveliche lanc
waren ir diu hendelin.
daz si niht solt ein grævin sin,
daz klag ich still und offenbar.
ir lip was hübesch unde klar.
Ir lop daz wolt ich meren baz;
nu vürht ich hoher vrouwen haz.
des wil ich von ir gedagen
und wil von dem meier sagen,

Die Meierin mit der Geiß

(14. Jahrhundert)

Wer sich heimlich um Frauen bemüht, der findet dabei oft etwas zum Lachen, wenn er nur das rechte Wild aufspürt. Die Minne ist den Frauen so wichtig, daß, wenn eine ihrem Mann gegenüber ihren Willen nicht durchsetzen kann oder zu streng bewacht wird, sie allerlei kluge Listen ersinnt, über die man dann herzlich lachen kann. Das ist mir aus vielen Beispielen bekannt.

Es war einmal ein Meier, der eine liebenswerte Frau von hübschem Äußeren hatte. So ist es verbürgt: Ihr Haar war blond wie Seide, ihr Kinn und ihre Brauen allen Preises würdig, ihre Augen herrlich anzusehen; Mund und Wangen leuchteten wie Rosen; ihre Locken waren kraus und blond, ihre Brüste zierlich und rund, ihre Arme fest und weiß; weich und von edler Schlankheit waren ihre Händchen. Daß sie nicht dazu bestimmt war, Gräfin zu sein, das beklage ich heimlich und öffentlich. Schön war sie und prächtig anzuschaun.

Ich würde ihr Lob gerne fortsetzen, fürchtete ich nicht, vornehme Damen damit zu verdrießen. Deshalb will ich jetzt nicht mehr von ihr reden, sondern vom Meier sagen, daß er seine Frau

wie dem sin wip ze herzen gie
also daz ers niht enlie
ane huote einen tac.
swenn er niht daheim enlac,
so kam sin liebiu swester dar
und nam ir vestecliche war;
der enwart si niemer vri.
Nu was gelegen ein burc dabi.
darufe was gesezzen
ein ritter gar vermezzen.
der selbe ritter unverzaget,
diu meierin im gar wol behaget.
er leite allen seinen list
an die meierin alle vrist.
der selbe ritter also her,
er wære gewaten durch daz mer,
daz er möhte komen sin
zuo der kluogen meierin.
er gedaht in sinem muote:
»ez kumet mir liht ze guote:
swenne si sol ze kirchen gan,
so enmac si niht gelan,
si enmüeze gan durch ein holz.«
des vröute sich der ritter stolz,
ob diu kluoge meierin
wolt im ein teil genædec sin.
der küene ritterliche man,
eine werbærin er do gewan;
der gap er mangen pfenninc.
diu het balde siniu dinc
geworben gein der meierin,
daz si wolt den willen sin
harte gerne vüegen.
des muost in wol benüegen.
Daz geschach in einer sumerzit,
do ieclich vogel enwiderstrit

herzlich liebte und sie deshalb nicht einen einzigen Tag ohne Aufsicht ließ. Wenn er selbst nicht zu Hause war, so kam seine liebe Schwester herbei und beaufsichtigte die Frau aufs strengste. Die konnte sie überhaupt nicht abschütteln.

Nun lag in der Nähe eine Burg, auf der saß ein tapferer Ritter. Diesem Ritter sagte die Bäuerin sehr zu, und er stellte ihr immerfort mit allerlei Anschlägen nach. Der edle Ritter wäre sogar durch das Meer gewatet, um nur zu seiner anmutigen Meierin zu kommen. Er dachte bei sich: »Vielleicht kommt mir das zustatten: wenn sie zur Kirche geht, so muß sie wohl oder übel durch einen Wald gehen.« Und der stolze Ritter freute sich schon darauf, daß die reizende Meierin ihm vielleicht ein wenig willfährig wäre.

Darauf dingte sich der tapfere Ritter um einiges Geld eine Kupplerin. Diese hatte bald seine Wünsche bei der Bäuerin ausgerichtet und erreicht, daß sie ihm recht gerne zu Willen sein wollte; mit diesem Erfolg konnte er wohl zufrieden sein. Die Sache trug sich im Sommer zu, als die Vögel überall süß um die Wette sangen. Da ließ also der feine Ritter die reizende Meierin

vil suoze sanc swa er saz.
do enbot der hübesche ritter daz
der vil kluogen meierin,
er wolt uf ir genade sin;
so si ze kirchen gienge,
daz si daz vervienge:
wa si vund ein grüenez zwi
daz uf den stic gevellet si,
daz ir dabi wære bekant,
daz si gienge zuo der rehten hant
daz sin zer selben stunde
sicherliche vunde.
Do sprach diu kluoge meierin:
»daz tæt ich gern und möht ez sin!
nu enkan ich niendert gegan,
weder gesitzen noch gestan,
min geswie enge mit mir
und ir bruoder ouch mit ir.
die hüetent zallen ziten min.
ja enmac ez leider niht gesin.«
der bote was ein altez wip.
diu sprach: »mines herren lip
lidet von iu so groze not,
daz im wæger wære der tot.
besehet wol ob ir di stunt
iergen im gevüegen kunt,
daz er bi iu muge wesen,
oder er ist iemer ungenesen.«
der meierin daz houbet seic.
eine wile si do sweic.
do si wider ufe sach,
»uf minen eit«, si do sprach,
»daz ich bezzers niht enweiz
wan wir haben eine geiz,
da gruoben nehten wolfe zuo.
sprechet daz er also tuo

wissen, daß er sich ganz in ihre Gnade ergeben wolle, und wenn sie zur Kirche gehe, so solle sie auf folgendes achten: dort wo sie einen grünen Zweig auf den Weg geworfen fände, da solle sie nach rechts abbiegen, dann würde sie ihn im gleichen Augenblick sicher treffen. Doch die schöne Bäuerin wandte ein: »Ich täte es ja gern, wenn es nur möglich wäre. Ich kann aber nirgends hingehen, nirgends sitzen oder stehen, immer ist meine Schwägerin oder ihr Bruder bei mir. Sie bewachen mich Tag und Nacht. Deshalb geht es leider nicht.«

Der Bote war eine alte Frau, und diese sprach nun: »Mein Herr leidet durch euch so große Pein, daß er lieber tot wäre. Seht doch zu, ob ihr ihm nicht irgendwie ein Stündlein mit euch ermöglichen könnt, anders kann er nicht gesunden!« Die Meierin ließ den Kopf hängen und schwieg eine Weile. Dann sah sie wieder auf und sagte: »Auf meinen Eid, Besseres weiß ich nicht als dieses: Wir haben eine Geiß, in deren Stall gestern die Wölfe einbrachen. Sagt dem Ritter, er soll einen Knecht beauftragen,

und daz er sinen kneht heiz
hinne vüeren die geiz.
so diu geiz dann erschrit,
so weiz ich daz er niht verlit,
er loufet allez hinden nach
und ist im vil sere gach.
er schrit: »heia, wol uz!
so springe der ritter in daz hus. «
diu alte sprach: »ir wellet wol!
min herre sich des vröuwen sol
und mac ouch des vrœlich sin. «
zehant do gienc der meier in.
die alten do der huoste brach,
daz si weder sach noch sprach.
er wande si enmöhte niht geleben;
er hiez ir sin wip etswaz geben.
do sprach diu kluoge meierin:
»si müeste lang gesezzen sin,
e ich ir het geben an iur wort. «
daz duht den meier gar ein hort.
do man der alten vil gegap,
diu vüegærin nam iren stap
und schre vil dick »owe« und »ach«
und hanc vaste do manz sach,
unz ir nieman het kein war.
vil schiere was si komen dar
da si vant den ritter kluoc.
si braht im lieber mære genuoc.
er sluoc lachend an sin bein;
vor lachen als ein bell er grein.
Nu het der ritter sældenbære
bi im einen schuolære
uf siner guoten veste.
er sprach: »nu rat mirz beste! «
er nam in zuo im dort hindan
und einen sinen kneht alsam.

die Geiß davonzuführen. Wenn sie dann schreit, so wird der Meier bestimmt nicht liegenbleiben, sondern ihr nachlaufen so schnell er kann. Er wird dann rufen: Holla, alle heraus! Dann soll der Ritter ins Haus springen.« Die Alte antwortete: »Das ist nicht übel. Mein Herr wird sich darüber freuen, und das mit Grund.«

In diesem Augenblick trat der Bauer herein. Die Alte brach in ein großes Husten aus, so daß sie weder sehen noch sprechen konnte, und der Bauer meinte, sie sei im Sterben, und seine Frau anwies, ihr etwas zu geben. Die reizende Meierin aber meinte: »Sie hätte lange sitzen können, bis ich ihr ohne euren Befehl etwas gegeben hätte.« Diese Antwort dünkte den Bauern Goldes wert. Als man die Alte reichlich beschenkt hatte, nahm die Kupplerin ihren Krückstock, stöhnte fleißig ›weh‹ und ›ach‹ und hinkte heftig, solange sie in Sichtweite war. Bald darauf kam sie zu unserem hübschen Ritter und brachte ihm ihre erfreuliche Botschaft. Der schlug sich auf die Schenkel und lachte so unmäßig, daß es wie das Kläffen eines Hundes klang.

Nun hatte dieser vom Glück gesegnete Ritter bei sich auf seiner festen Burg einen Studenten. Zu dem sprach er: »Gib mir einen guten Rat!«, wobei er ihn mit einem Knappen beiseite

do disiu vereinheit
in allen drien wart geseit,
des nam der schulær vil guot aht.
nu kam diu vinsterste naht
diu sider oder vor ie kam.
der ritter si do mit im nam.
do si kamen dar gerant,
si gruoben in sazehant.
die geiz der schuolær ergreif;
ein seil er umb den hals ir sweif;
der schuolær was niht ein tor:
er beiz die geiz in daz or,
daz si vil lute do erschre.
do schre diu meierin: »owe,
her meier, hat ir niht vernomen:
die wolfe sint herwider komen.«
do wart dem meier sere gach
und lief und schre ir allez nach:
»heia mus, heia mus!«
do spranc der ritter in daz hus
zer schœnen meierinne
und pflac hübscher minne
eine vil guote wile,
uns durch manec zile
ackers diu geiz gevüeret wart.
der schuolær des niht enspart:
so der meier wand er vundes da,
so hets der schuolær anderswa.
do der schuolær sach den tac,
der ritter ouch niht langer lac.
von der meierin er urloup nam;
mit eren was der ritter dan;
niht mere wart gevuort diu zige.
Der aventiure wart verswigen
me denn ein jar (des was genuoc),
daz ir nieman niht gewuoc.

nahm. Sie besprachen die Verabredung zu dritt, und der Student hörte gut zu.

Dann kam die allerdunkelste Nacht herauf, die es je gab oder geben wird. Der Ritter nahm die beiden mit sich, und als sie zu des Bauern Haus kamen, brachen sie sogleich in den Stall ein. Der Student ergriff die Geiß und legte ihr einen Strick um den Hals. Dann – er war nicht auf den Kopf gefallen – biß er die Geiß so ins Ohr, daß sie laut schrie. Da rief die Bäuerin: »O weh, Herr Bauer, habt ihr's nicht gehört? Die Wölfe sind wieder da.« Jetzt hatte es der Bauer sehr eilig. Er lief herum und schrie, ganz wie seine Frau vorausgesagt hatte: »Heda! Auf! Heda! Auf!«

Inzwischen war der Ritter ins Haus gesprungen zu der schönen Bäuerin, mit der er sich dem holden Minnespiel hingab eine stattliche Zeit hindurch, bis die Geiß durch manchen Streifen Feldes hin und her geführt worden war. Der Student wurde nicht müde: Jedesmal, wenn der Bauer glaubte, er habe die Geiß irgendwo gefunden, hatte sie der Scholar schon anderswohin gebracht.

Als der Student nun aber den Tag grauen sah, blieb auch der Ritter nicht länger mehr liegen. Er nahm Abschied von der Meierin und begab sich, ohne daß sein Ruf in Gefahr geraten wäre, nach Hause. Da wurde nun auch die Ziege nicht mehr weiter herumgeführt.

Diese tolle Geschichte wurde mehr als ein Jahr geheimgehalten (das war genug), und niemand sprach darüber. Wer eine

swer überic huot an sin wip leit,
der verliuset michel arebeit.

Frau allzu genau überwacht, der verschwendet viel Mühe vergeblich.

Die Buhlschaft auf dem Baume

(15. Jahrhundert)

Ich will euch sagen, das ist war,
es sein mer dann zehen jar,
das ich hort sagen mere,
wie das einst were
ein plinter, der hett ein schöns weip.
die was im liep als sein leip.
sie was hübsch und wol gestalt
und was darzu auch nit ser alt.
fürwar wer sie hett gesehen,
der mußt mit mir die warheit jehen,
das sie was hübsch und wol gemut.
nun forcht der selbige plint gut
also ser, das ich ein ander man
würd zu seinem weibe gan.
er gedacht in seinem mut:
»ich will sie haben in guter hut,
das mir sie nimant nem,
und wil sie nemen in einem zem.«
zu nacht, als er zu pette ging,
ein eisen halfter er do fing
und sloß ir beide pein darein.
domit solt sie besorget sein.
am morgen frue, do ansprach der tag
(nun merket eben, was ich sag),
auß den panden er sie sloß.
sein sorg die was gar groß,
und gedacht in seinem mute:
»ach herr got, durch dein gute,
wie ich verlüre mein schönes weip,
das überwünt nimer mein leip.«
    Er sprach: »frau, wir sullen gan.
nit lenger will ich hie bestan

Die Buhlschaft auf dem Baume

(15. Jahrhundert)

Ich will euch etwas Wahres erzählen: Mehr als zehn Jahre ist es
her, daß ich sagen hörte, es habe einmal ein Blinder gelebt, der
eine schöne Frau besaß. Er liebte sie wie sein Leben, und sie war
auch wirklich anmutig und schön gewachsen, dazu noch recht
jung. Wer sie gesehen hätte, müßte mir wahrhaftig zugestehen,
daß sie hübsch und von angenehmem Wesen war. Natürlich
fürchtete der brave Blinde sehr, daß sich andere Männer um
seine Frau bemühten, und so war sein steter Gedanke: »Ich will
sie gut bewachen, damit sie mir niemand wegnehme, und will
ihr dazu einen Zaum anlegen.« Nachts, wenn er zu Bett ging,
holte er eine Art eisernes Halfter hervor und schloß ihr die
Schenkel hinein. Damit glaubte er sie gesichert zu haben. Am
Morgen dann, wenn es Tag wurde (paßt gut auf, was ich sage),
entließ er sie wieder aus ihren Fesseln. Seine Angst war unge-
heuer, und der Gedanke ließ ihn nicht los: »Ach, du gnädiger
Herrgott, wenn ich meine schöne Frau verlöre, ich könnte das
nicht überleben.«

Eines Tages sagte er: »Frau, wir müssen uns jetzt aufmachen.
Ich will nicht länger hierbleiben, denn hier haben wir es nicht so

wan wir mugen uns began
hie nit so wol als anderswo.«
nun was ein schüler do,
der in der selben stat saß,
dem die frau von herzen holt was.
das ward dem plinten kunt getan.
darumb mußt sie von dannen gan.
der schüler ging, do er den plinten fant.
der furt eben an seiner hant
sein minnigliches freuelein.
nun gedacht im der schüler fein:
»ach got, mocht ichs in meinem gemut
gewenden mit der frauen gut.«
er neiget sich zu ir und sprach:
»mir ist leit fast dein ungemach.«
ein brieflein gab er ir in di hant.
domit tet er ir gar bekannt
seinen sin und auch seinen mut.
     das bedaucht di schönen frauen gar gut.
do sie gelas das kleine brieflein,
sie sprach: »ach liber meister mein,
ich sich dort einen paum stan.
wir sullen werlich darunter gan,
ob uns des obß mocht werden.
mich gelust noch nie hie auf erden
keins dings nie also wol.«
er sprach: »ich waiß nit, was ich sol
noch mit dir beginnen,
das ich es zwar werd innen,
das es sei on alles gefere.
mich bedunkt an deinem gepere,
du wolst an mir nit recht faren.
mag ich, ich wils bewaren.
doch wil ich selbert dar mit dir,
ob des obs mocht werden mir,
das du so fast gelobet hast

gut wie anderswo.« Nun gab es da aber einen Scholaren, der in derselben Stadt wohnte und von jener Frau herzlich geliebt wurde. Der Blinde hatte das erfahren, und deshalb sollte die Frau fortgebracht werden. Dieser Scholar nun hatte sich aufgemacht und den Blinden erspäht, der sein reizendes Frauchen an der Hand führte. Dem Studenten schoß es durch den Kopf: »Ach Gott, wenn mir doch etwas einfiele, damit ich die schöne Frau für mich haben könnte.« Er beugte sich zu ihr und flüsterte: »Deine Gefangenschaft schmerzt mich«, und dabei gab er ihr ein Brieflein in die Hand, in dem er ihr seinen Plan mitteilte und sein Herz eröffnete.

Die schöne Frau fand den Vorschlag gut, und als sie das kleine Brieflein vollends gelesen hatte, sagte sie: »Ach, mein lieber Gebieter, ich erblicke dort einen Baum. Laß uns hingehen und sehen, ob wir uns etwas Obst holen können. Nach nichts anderem auf Erden hatte ich je so großes Verlangen.« Der Blinde antwortete: »Ich weiß nicht, was ich mit dir anstellen soll, damit ich sicher sein kann, daß keine Gefahr im Verzug ist. Dein Verhalten gibt mir den Verdacht ein, daß du etwas Unerlaubtes im Sinn hast. Aber ich will das schon nach Kräften verhindern und werde selber mit dir nach dem Obst gehen, das du so übermäßig gelobt hast und so gern holen möchtest.« Sie gingen

und so gern darnach gast. «
sie gingen mit einander dar.
des nam der schüler eben war,
wan er an das brieflein
hett geschriben den sin sein.
der schüler in seiner kappen trug
schöne öpfel, der waren genug.
darmit er steigen began
auf ein linten oben hinan.
die fraue furt den plinten dar,
    do sie des schülers wart gewar,
das er steig auf die linten.
sie sprach zu irem plinten:
»nun wie sol ich es heben an,
das ich des obs müg gehan,
wan der paum ist so hoch?«
der plint pald seinen stecken zoch
und slug aufhin an die este,
das ein apfel vil hernider veste,
den der schüler warf herab.
er meinet, er slüg in mit dem stabe ab.
die fraue den apfel balde fant.
sie gab in dem plinten in die hant.
er sneit entzwei den apfel
und pot der frauen das ein teil.
sie sprach: »ich muß ir haben mee,
oder mir geschicht wirser dann wee. «
den stap er aber eins zucket.
an die est er do fluks drucket
und loset auch nach dem slag,
ob icht ein apfel fiel herab.
    sie sprach: »es ist alles unmuß.
ich gebe nicht ein haselnuß,
umb was du mir mochst abgeslahen,
du hettest dan ein lange gabeln.
darumb saltu mich steigen lan

124

also miteinander hin. Der Student beobachtete das genau, denn er hatte ja selbst den Plan in seinem Brieflein mitgeteilt. In seiner Mütze hatte er eine Menge schöner Äpfel. Mit diesen stieg er eine Linde hinauf bis in den Wipfel. Die Frau aber führte ihren blinden Mann ebendorthin.

Als sie sah, daß der Scholar die Linde erklettert hatte, sagte sie zu dem Blinden: »Wie wollen wir es nun anstellen, daß ich die Äpfel bekomme? Der Baum ist nämlich recht hoch.« Da nahm der Blinde seinen Stock und schlug an die Äste, so daß ein Apfel herunterfiel, den der Student hatte fallen lassen. Der Blinde glaubte, er habe ihn mit dem Stock herabgeschlagen. Die Frau hob den Apfel schnell auf und gab ihn dem Blinden. Der schnitt ihn entzwei und reichte seiner Frau die eine Hälfte. Die aber sagte: »Ich muß noch mehr haben, oder es wird mir ganz schlimm gehen.« Da schwang er den Stock abermals, schlug an die Äste und lauschte dann, ob nicht ein Apfel herabfiele.

»Das ist nur Zeitverschwendung«, rief die Frau jedoch, »ich gebe keinen roten Heller für das, was du mir vielleicht noch herunterschlägst. Du müßtest da schon eine lange Gabel haben. Laß mich deshalb auf den Baum steigen; dann fülle ich meinen

auf den paum oben hinan,
das ich fülle vol meinen sack.
ich gewinn ir, so meinst ich mag.«
er sprach: »frau, so forcht ich mir,
das ein ander kum zu dir.« –
»des saltu kein sorge han.
du salt her zu dem paum gan
und mit den henden in greifen an.
so weistu, ob ein ander man
zu mir auf den paum mocht klimen.
der solt auch wol gewinnen
lützel und wenig an der fert,
er gewünn dann doran streich hert.«
der plint gedacht: »ja, du hast war«,
und half ir auf den paumen dar.

do sie auf den paumen kam,
do umbfing der plint den stam
und loset da vil eben.
der schüler begund der frauen zustreben.
mit irem schönen, stolzen leibe
wolt er nach luste kurzweil treibe.
der plint rufen do began:
»schüt den paumen fluks obenan,
das etswas falle herab.«
der schüler was ein rechter knab.
er begund sich mit der frauen rütteln
und die öpfel auß der kappen schütteln.
er sprach, das were recht.

Unser herr und auch sein knecht
sant Peter gingen bede dafür.
das erhoret der plint gehür.
er sprach: »wer get dapei?
wart, das er auch ein freunt sei.«
sand Peter sprach: »herr meister, lug!
sichstu nit das grosse ungefug,
wie dem plinten tut das weip.

Sack und hole mir, soviel ich will.« Der Blinde sagte: »Frau, ich fürchte aber, daß dich dort ein anderer Mann erreichen könnte.« – »Da brauchst du keine Angst zu haben. Geh her zum Baum und umspanne ihn mit den Armen, dann kann es dir nicht entgehen, wenn einer zu mir auf den Baum klettern will. Der würde ja auch wohl herzlich wenig ernten bei seiner Besteigung – höchstens kräftige Hiebe.« Der Blinde dachte: »Du hast recht«, und half ihr auf den Baum hinauf.

Als sie droben war, umarmte der Blinde den Stamm und verlegte sich ganz aufs Lauschen. Der Student näherte sich jetzt der Frau und wollte mit ihrem schönen Leib nach Herzenslust ein kurzweiliges Spiel treiben. Der Blinde aber rief: »Auf, schüttle den Baum im Wipfel, daß etwas herabfalle!« Der Student war ein fixer Junge. Er rüttelte sich mit der Frau und ließ dabei die Äpfel aus der Mütze kollern. Da war der Blinde zufrieden.

Nun gingen aber gerade unser Herr und sein Jünger, Sankt Peter, vorbei. Der Blinde hörte sie und rief: »Wer geht da? Gib acht, ob es auch ein Freund ist.« Da sagte Sankt Peter: »Meister, schau doch! Siehst du nicht das große Unrecht, das die Frau an dem Blinden begeht? Ich wünschte, er könnte diese ungeheure

ich wolte gern, das sein leip
sehen solte den grossen mort.«
unser herrgot sprach: »sie fünd wol ein antwort
danoch, ob es der man sech an.« –
»herr, wie wer das aber getan«,
sant Peter sprach, »das höret ich gern.«
unser herr sprach: »wiltu sein nit enpern,
so wil ich dich lassen sehen,
wie die fraue wirt jehen.«
den plinten er sehen ließ;
(der ward gar ein starker ries.)
     do er nun do über sich sach,
gern mügt ir horen, wie er sprach:
»secht ir, frau hur, was habt ir
heut gerochen hie an mir?
des müßt ir euer beider leben
hie umb die lieb geben.«
sand Peter sprach: »herr meister, lug
und went disen ungefug,
laß diesen mort nit geschehen
und heiß disen plinten nit gesehen.«
die frau antworten begann
auf dem paum obenan.
sie sprach: »lieber man mein,
diese lieb muß dir ein puß sein,
das du nimmer werdest plint.
des half mir heut das himelisch kint
und auch darzu der schüler.
der lernet mich dise mer,
das du wider hast dein augen.
des saltu dir also taugen,
das du niderfallest auf dein knie,
und sag uns beiden gnade hie,
dem guten schüler und auch mir,
und pit got, das dein augen dir
pleiben, die du itzunt hast.

Schandtat sehen!« Darauf antwortete unser Herrgott: »Sie fände immer noch eine Ausrede, selbst wenn es der Mann sähe.« – »Herr, wie könnte das zugehen?« meinte Sankt Peter, »das wüßte ich schon gerne.« – »Wenn du es unbedingt wissen willst«, entgegnete der Herr, »so will ich dir zeigen, wie die Frau reden wird«, und er ließ den Blinden, der ein riesenstarker Mann war, sehend werden.

Als der nun in die Höhe sah, da – gebt acht – sprach er so: »Sieh da, Frau Hure, was habt ihr mir heute Schlimmes angetan? Eure Liebelei kostet euch beiden auf der Stelle das Leben.« – »Meister«, rief Sankt Peter, »sieh doch nur, greife ein, laß diese Untat nicht geschehen, mache, daß der Blinde nichts mehr sieht!« Da aber begann die Frau oben im Wipfel des Baumes und sagte: »Mein lieber Mann, diese Liebesverbindung war für dich erdacht als Heilmittel, um dich sehend zu machen. Dazu hat mir heute das himmlische Kind verholfen und auch dieser Student. Er hat mich gelehrt, wie du dein Augenlicht wiederbekommen könntest. Das sollte dir soviel wert sein, daß du auf die Knie fielst und uns beiden danktest, dem wackeren Studenten und mir, und dann bitte Gott, daß er dir das Augenlicht, das du jetzt

ach du tor, wie lang du stast!«
er vil nider auf seine knie
und sprach: »frau, du lißt mich nie.
du hast mir gutlichen getan;
des sol ich dich genißen lan
heut und zu allen stunden,
das du so eben hast funden
ein puß, das ich mein augen han.
darumb saltu herab gan
und auch darzu der schüler.
dem sullen wir der mer
lonen hie an diser stat,
das er mir geholfen hat.«
die frau ging herab
und auch dazu der schön knab.
der plint vil im zu füssen
und sprach mit worten süssen:
»got in seinem reich
der dank euch gnedigleich.
wir sullen in freuden leben
und sullen dem schüler geben
etswas umb sein arbeit.«
das was der frauen nit leit.
zehen pfunt pfenning
die wug er also gering
und pot sie dem schüler dar.
das nam sant Peter eben war.
er sprach: »herr, sol ich dem plinden sagen,
ob er das weip icht wolle slagen?« –
»ja, Peter, das sei erlaubet dir.«
zuhant ging er zu ir
und sprach: »got grüß dich!
es hat übel gemüet mich,
das du dem plinten hast getan,
das will ich in wissen lan.«
sie sprach: »lug, man, das ist der,

besitzt, erhalten möge. Du Narr, wie lange stehst du noch herum?«

Da fiel der Mann nieder auf seine Knie und sprach: »Frau, du hast mich nie im Stich gelassen und es gut mit mir gemeint. Ich will es dir vergelten heute und alle Tage, daß du ein Mittel fandest, mir das Augenlicht zu geben. Steig jetzt herab mit dem Studenten. Wir müssen ihn gleich hier dafür belohnen, daß er mir half.« Da kletterte die Frau wieder herunter und auch der hübsche Junge. Der frühere Blinde fiel ihm zu Füßen und sprach freundlich: »Gott der Allmächtige möge euch gnädig lohnen! Wir werden jetzt fröhlich sein und auch dem Studenten etwas verehren für seine Mühe.« Der Frau war das nicht zuwider, und so wog er großzügig zehn Pfund Pfennige ab und reichte sie dem Scholaren.

Als dies Sankt Peter sah, fragte er: »Herr, soll ich dem Blinden anraten, seine Frau zu verprügeln?« – »Ja, Peter, das sei dir erlaubt.« Sogleich ging also Sankt Peter zu der Frau und sagte zu ihr: »Gott grüße dich! Es hat mich sehr geärgert, was du dem Blinden antatest, und ich will es ihn wissen lassen.« Da rief die Frau: »Schau, Mann, das ist der, der mir nachgelaufen ist und die

der nach mir ist geloffen her
und mir wolte gewendet han
die puß, die ich dir hab getan,
wan er sehe dich gern plint,
darumb das ich im hett zu willen gedint.
ich sag dirs sicher, es ist war,
er treibs wol ein ganzes jar
mit mir an. das soltu rechen
und dein messer durch in stechen. «
der plint sein messer außzoch.
sand Peter do fast floch
hin, do er seinen herren fant,
und klaget im die mer zuhant.
er sprach: »Petre, du woltest anders nicht.
vil manchem mer also geschicht,
der do saget böse mer.
du warst aber also alber
und meinest nit, das dises weib
sich wol konte scheib,
das sie iren man betörte,
wie eben auch der man das hörte. «
er sprach: »herr, und hett ich gwalt
und solt ich halt nimmer werden alt,
ich gerech mich an diser bösen haut,
das sie dorft sprechen überlaut,
ich wer ir nachgestrichen.
darzu so sprach sie: ›stich in!‹
das laß ich faren, herre gòt,
und rich mich an ir durch dein gepot. « –
»nein, Peter, ich wil dir sagen,
dem sünder sol man vil vertragen.
weistu nicht, das ich mein leben
für den sünder hab gegeben.
dorumb so wil ich keinen lon.
ich wil sie in meinem schirm han.
ee ich sie ließ in nöten,

Heilung, die ich vollbracht habe, verhindern wollte, denn er sähe es lieber, daß du blind wärst, damit ich ihm zu Willen sein könnte. Ich sage es dir ungelogen, und es ist die Wahrheit: ein ganzes Jahr hat er mir nachgestellt. Jetzt räche dich an ihm, und erstich ihn mit deinem Messer.«

Der Blinde zog sein Messer, Sankt Peter aber floh zu seinem Herrn und erzählte ihm anklagend, was geschehen war. Da sprach der Herr: »Peter, du hast es nicht anders gewollt. So ergeht es vielen, die böse Kunde verbreiten. Du warst so töricht, nicht glauben zu wollen, daß diese Frau es schlau dahin bringen würde, ihren Mann hinters Licht zu führen, obgleich er alles wahrnahm.« Sankt Peter antwortete: »Herr, hätte ich die Macht dazu, so wollte ich nicht alt werden, bevor ich mich an diesem üblen Stück dafür gerächt hätte, daß sie lauthals behauptete, ich sei ihr nachgekrochen. Und zudem hat sie gesagt: Erstich ihn! Aber ich will das nicht weiter verfolgen und mich an ihr, Herr, nur rächen, wie es dir gut scheint.« – »Nein, Peter, ich sage dir: dem Sünder soll man viel nachsehen. Du weißt doch, daß ich mein Leben für die Sünder dahingegeben habe und keinen Lohn dafür begehre. Ich will die Sünder beschirmen, und ehe ich sie in der Not verlassen würde, ließe ich mich lieber noch einmal

ich ließ mich noch eins töten.
wer do peichtet und bereuet
und darzu mir getrauet,
dem vergibe ich sein schuld
und laß in erwerben mein huld. «
    Also hot dise red ein ende.
got sol uns sein gnade sende.

töten. Wer da beichtet und Reue zeigt und dazu auf mich vertraut, dem vergebe ich seine Schuld und lasse ihn meine Gnade erwerben. «

So endet diese Geschichte. Gott möge uns seine Gnade verleihen.

Der Pfaffe im Käskorb

(15. Jahrhundert)

Ein pur hat ein stolzes wib.
die hat er lieb als sin eigen lib.
doch ir trüw brach si an im,
wan ein pfaff lag ir in dem sin;
den hat si lieber denn ir eman.
und was si guotes mocht han,
das was dem pfaffen bereit.
und wenn der pur von huse reit,
so sant die frow nach dem pfaffen.
den ließ si denn mit ir schaffen.
was nu sin herz begert,
des wart er von ir gewert.
   Doch kam es uf ein tag darzuo,
das der pur ze müle fuor.
vil bald aber der pfaffe kam.
als er vor dik hat getan.
do bereit im die frow ein essen,
wan sie hattent sich vermessen,
si wöltind ein fries müetli han.
do kam von der müll der man
und klopfet an das hus zehant.
die frow das do wol bekant,
das es was ir man.
zuo dem pfaffen sprechen si began
»o herr, wie sol ichs heben an,
won es kumpt min elicher man.
wirt er üwer gewar,
er erstichet uns bedi zwar.«
zehand sprach der pfaff zuo ir:
»sich frow, gefiel es dir,
so wölt ich in den käskorb stigen,
wan darin wil ich wol beliben,

136

Der Pfaffe im Käskorb

(15. Jahrhundert)

Ein Bauer hatte eine schöne Frau, die er wie sein Leben liebte. Sie aber brach ihre eheliche Treue, weil ihr ein Pfaffe im Sinn lag, den sie lieber hatte als ihren Ehemann. Was immer Gutes sie besaß, das ließ sie dem Pfaffen zukommen. Sobald der Bauer zu Pferde seinen Hof verließ, schickte die Frau dem Pfaffen Nachricht. Dann ließ sie ihn mit ihr werkeln. Was sein Herz begehrte, das erhielt er von ihr.

Eines Tages fügte es sich, daß der Bauer zur Mühle fuhr, und bald war auch der Pfaffe wieder da wie schon manches Mal vorher. Die Bäuerin machte ihm zu essen, denn sie hatten sich kühn vorgenommen, sie wollten ihr Mütlein aneinander kühlen. Nun kam aber der Bauer überraschend von der Mühle zurück und klopfte an die Tür. Die Frau erkannte sogleich, daß es ihr Mann war, und flüsterte dem Pfaffen zu: »Lieber Herr, was soll ich tun? Mein Ehemann ist gekommen. Wenn er euch hier entdeckt, ersticht er gewiß uns beide.« Der Pfaffe antwortete ohne Zögern: »Paß auf, Frau, wenn du das für gut hieltest, dann stiege ich am liebsten in den Käskorb und versteckte mich darin

das es niemer innen wirt din man.«
si sprach: »ja, das wer wol getan.
mugent ir darin endrünnen,
für war er wirt üwer niemer innen.«
     zehant er in den käskorb sprang.
der pur do zuo der tür in trang.
zehant die frow sprechen began:
»ach, setz dich nider, min lieber man;
und laß üns haben ein guoten muot.
ich han gekochet zwei essen guot.
die laß üns mit enander essen.
so han ich mich ouch vermessen,
ich well üns darzuo bringen win.«
der pur sprach: »frow, das sol sin.
ich iß und trink als gern als du.
trag üns nun gnuog herzuo.
bringst üt guots, ich hilf dir essen.«
und do si ze tische warent gesessen,
do aß der pur gar ser,
aber die frow sach hin und her.
do sach die frow das,
das in dem korb ein loch was.
dadurch hieng dem pfaffen das,
das im bi sinen beinen gewachsen was.
das was wol einer spanne lang.
die frowen do die sorg betwang,
das si erdacht in irem sin,
das es der pfaff züge zuo im
hinin in die käsborn,
won si vorcht ir mannes zorn.
zehand sprach si do zuo dem man:
»elieber man, nu sag an,
was went wir morn tuon,
so der pfaff wirt mit dem krüze gan?
went wir nit ouch mit im singen,
das wir lob für ander lüt gewünnent?«

so, daß dein Mann überhaupt nichts merkte.« Darauf die Bäuerin: »Ja, das ist nicht schlecht. Wenn ihr euch dort hineinflüchtet, wird euch der Bauer gewißlich nicht entdecken.«

Ohne weitere Zeit zu verlieren, sprang der Pfaffe in den Käskorb. Da drängte auch schon der Bauer zur Tür herein. Seine Frau sprach ihn gleich an: »Ach, nimm doch Platz, mein lieber Mann, und laß uns vergnügt sein. Ich habe für uns zwei feines Essen gekocht; das wollen wir miteinander verspeisen. Außerdem habe ich mir vorgenommen, uns Wein dazu zu holen.« Der Bauer antwortete: »Ja, Frau, das ist mir recht; ich esse und trinke ebensogern wie du. Trage uns nur gehörig auf. Wenn du etwas Gutes bringst, will ich dir schon essen helfen.«

Als sie nun am Tisch saßen, da langte der Bauer gewaltig zu, die Frau aber ließ ihren Blick herumschweifen und entdeckte dabei, daß der Korb ein Loch hatte und daß durch dieses Loch das Ding heraushing, das dem Pfaffen zwischen den Beinen sproßte, gut eine Spanne lang. In ihrer Angst überlegte die Bäuerin hin und her, wie sie den Pfaffen dazu bringen könnte, es zu sich in den Käskorb hineinzuziehen, denn sie fürchtete sich vor dem Zorn ihres Mannes. Dann sagte sie zu diesem: »Liebster Eheherr, wie wollen wir es morgen halten, wenn der Pfarrer den Umgang macht mit dem Kreuz? Wollen wir nicht auch mit ihm singen, damit man uns mehr als die anderen Leute lobt?« – »Ja«,

»ja,« sprach er, »es gefalt mir wol.
ich sing, was ich singen sol.
ich hilf dir singen uf min eid.«
die frow do zuo dem puren seit:
»ich kan ein gesang, das ist fin.«
do sprach der pur: »liebe husfrow min,
so heb an und lern es mich!«
si sprach: »so los! ich lern es gern dich.«
also huob si an und sang,
das es in dem ganzen hus erklang:

sagte er, »das ist mir recht. Ich singe, was verlangt wird. Ich helfe dir singen, auf meinen Eid.« Darauf sprach die Frau zum Bauern: »Ich weiß ein feines Lied«, und der Bauer: »Meine liebe Hausfrau, so fang an damit und lehre es mich.« – »Dann also los, ich lehre es dich gern.« Und sie fing an und sang, daß es durch das ganze Haus tönte:

Unser Herr, der Pfarrer, in den Käskorb kam.
Doch hingen ihm die Hoden unten lang hervor.

Nun zieht um meinetwillen die Dinger ganz empor.
Wenn es der Bauer merkte,

Er würde uns sehr gram.
Kyrieleison.

do der pfaff das gesang vernam,
zehand geriet er wol verstan,
das sin ding hieng durch das loch.
vil bald er das hinin zuo im zoch
und beleib darin, unz das der man
ward von dem huse gan.
do sprang er bald zuo dem korb herus
und lüff wider hein in sin hus.
damit was er wol endrunnen.
    Ich gloub, das under der sunnen
niena si kein listigers tier
denn ein wib. sie erdenket schier
einen list in ihrem herzen,
das si kunt us not ane smerzen.
so ein frow hat getan
mit unzüchten wider iren man,
wirt joch sin der man halben weg innen,
si erdenkt denocht in ihrem sinne,
das si wol kunt an not darvon,
als dise frow ouch hat getan.

Als der Pfaffe das Lied hörte, begriff er sofort, daß sein Ding durch das Loch herabhing. Eilig zog er es zu sich hinein und blieb im Korb, bis der Mann das Haus verließ. Dann sprang er aus dem Korb und lief nach Hause. So war er glücklich davongekommen.

Ich meine, daß es unter der Sonne nirgends ein listigeres Tier gibt als eine Frau. Sie hat in ihrem Kopf gleich eine List ersonnen, die ihr schmerzlos aus Bedrängnis hilft. Wenn eine Frau ihrem Mann untreu gewesen ist und der Mann schon die halbe Wahrheit entdeckt hat, dann fällt ihr doch immer noch etwas ein, wie sie ohne Gefahr den Kopf aus der Schlinge zieht. So hat es auch diese Frau getan.

Hans Rosenplüt
Die Wolfsgrube

(etwa 1450)

Nu schweigt, so wil ich heben an
ein kurzweil von einem edelman,
wie in sein weib wolt effen und törn,
als ir hernach wol werdet hörn.
auf einer vesten er do saß.
sein frau sich heimlich des vermaß,
das sie einem pfaffen zu ir zilt.
dem wolt sie leihen iren schilt,
darein man mit solchen spern sticht,
davon man selten awee spricht.
wann man des nachts plies die horn,
so sollt er schleichen durch das korn
und solt dahinden klopfen an,
so hett sich dann gelegt ir man.
    Der man der wart des heimlich innen,
das sie eins solchen wolt beginnen.
er nam mit im da all sein knecht
und hieß sie haben ein still geprecht,
und gingen auß für die hindern tür,
da der pfaff solt kumen für.
er richt sich an mit allen sein knaben
und hieß sie eine tiefe grube graben.
er sprach zu in: »ich hab gesehen
ein wolf, der da umb ging spehen
nach hünern, gensen und nach enten.
ich muß besehen, ob ichs müg wenten.«
do sie die gruben nu bereitten
und ein hürd darüber leiten,
sie punden vorn an den grans
dem wolf zu einem köder ein gans.
    Da nu die hornzeit ging her,

144

Hans Rosenplüt
Die Wolfsgrube

(etwa 1450)

Seid still, dann erzähle ich eine lustige Geschichte von einem Edelmann, den seine Frau hinters Licht führen und betrügen wollte, wie ihr gleich hören sollt. Der Edelmann wohnte auf einer Burg. Seine Frau scheute sich nicht, einem Pfaffen heimlich Hoffnungen zu machen; sie wollte ihm ihren Schild leihen, in den man mit solchen Speeren sticht, daß kein Grund ist, »O weh« zu rufen. Wenn man nachts das Horn blase, so solle er durch das Kornfeld heranschleichen und an der Hintertür klopfen; ihr Mann sei dann schon zu Bett gegangen.

Dem Ehemann war jedoch nicht verborgen geblieben, daß sie solches im Sinne hatte. Er holte all seine Knechte zusammen, hieß sie ganz still und leise sein und führte sie zur Hintertür hinaus, vor die der Pfaffe bestellt war. Dort machte er sich mit seinen Knechten ans Werk und ließ sie eine tiefe Grube graben, indem er sagte: »Ich habe einen Wolf herumschleichen sehen, der auf Hühner, Gänse und Enten lauerte. Ich will doch sehen, ob ich da einen Riegel vorschieben kann.« Als sie die Grube gegraben und sie mit einer Falltür aus Reisig abgedeckt hatten, banden sie an das Vorderteil der Falle eine Gans als Köder für den Wolf.

Die Zeit des Hornrufs kam heran, und die Frau wußte von all

die frau west nicht umb die mer.
der man gar freuntlich mit ir redt
und tet, sam er wöllt geen zu pet,
als sein gewohnheit was und sit.
den pesten diner nam er mit.
sie gingen in das schlafgaden
und stunden neben in ein laden,
und das sie in die gruben sahen.
der herr sprach: »ich hof, wir vahen.«
und als sie da stunden auf der wart,
da kam ein wolf, den hungert hart.
der naschet nahent zu der hürd,
und ob im ichts zu essen würd.
wie pald er gen der gens schnapt,
die hürd da vorn nidergnapt,
das er vil in die gruben zwar.
der knecht wolt pald laufen dar.
»nicht«, sprach der herr, »pei deinem leib,
das sein nit innen werd mein weib.
darumb so laß uns nit vergahen
(ich weiß wol, das wir mer vahen)
und laß uns peiten noch ein weil,
piß einer laufen möcht ein meil
oder mit einem pferd getraben,
so wöll wir mer gefangen haben.
    Da nu die hornzeit herging,
der pfaff sein reis auch anving,
die in hin zu der vesten trug.
er eilet zu der frauen klug.
und da er nahent hinzu kam
und er der gruben nit vernam
und kam auf den rechten furt
und trat eben vorn auf die hurt,
das er do vil in das tife loch,
er sprach: »o, das ist ein pöser koch,
und der mir das hat angericht,

diesen Vorbereitungen nichts. Ihr Gatte sprach ihr freundlich zu und tat, als wolle er ins Bett gehen, wie das seiner Gewohnheit entsprach. Mit seinem besten Diener begab er sich in die Schlafkammer, wo sie sich so neben dem Fensterladen aufstellten, daß sie die Grube sehen konnten, und der Herr sagte: »Ich hoffe, wir haben Jagdglück.« Als sie so auf dem Anstand waren, kam ein Wolf, der gewaltig hungrig war. Der pirschte sich an die Grubendecke heran in der Hoffnung, dort etwas zum Fressen zu finden. Sobald er aber nach der Gans schnappte, kippte die Falltür vorn herunter, und er fiel in die Grube. Der Diener wollte schon hinlaufen, aber der Herr fuhr ihn an: »Bleib, wenn dir dein Leben lieb ist. Meine Frau darf doch nichts merken! Wir wollen nichts übereilen – ich weiß, wir fangen noch mehr –, sondern noch so lange warten, wie einer braucht, um eine Meile zu laufen oder mit dem Pferd zu reiten. Dann werden wir noch mehr gefangen haben.«

Jetzt war die Zeit des Hornrufs gekommen, und der Pfaffe machte sich auf seinen Weg, der ihn zur Burg führte, und eilte zu der hübschen Dame. Als er jedoch nahe herangekommen war, geriet er, weil er die Grube nicht sah, genau auf die richtige Bahn, trat vorne auf die Falltür und fiel in das tiefe Loch. »Weh mir«, rief er, »ein übler Koch hat mir das zubereitet. Der Teufel

der teufel hat ims helfen erdicht.
er hat mir es so ser versalzen,
hett ich gewist dise walzen,
mich hett nimant daher pracht.
fürwar sie hat ein schalk erdacht. «
der knecht wolt aber herab laufen
und meint den pfaffen schlahen und raufen.
»nit«, sprach der herr, »es ist noch nit zeit.
ich spür noch mer wilds hie. nu peit
und laß uns lenger da hie laussen,
diweil wir hinnen sint und sie daussen.

    Da nu der pfaff nit kam pei zeit,
sie gedacht, der weg wer nit weit,
und meint, ir man der leg und schlif.
ir meit sie heimlich zu ir rif.
sie sprach: »such dein gewant herfür
und lauf auß zu der hindern tür
und schleich auß leis sam ein maus
und lauf hin in des pfaffen haus.
sprich, woll er kumen, das er trab,
die weil der kramer offen hab
und die pfenwert kaufkun sein,
der kramer wol schir legen ein. «
die meit die hub sich auf das spor
und lief auß zu dem hintern tor
und vil auch in die gruben zwar.
der knecht wolt aber laufen dar.
»nit«, sprach der herr, »bleib heroben
und laß uns got danken und loben,
das er uns wilprets heint bereit,
und des man doch keins seudt noch pret. «

    Da nu die meit nit kam pei zeit,
sie gedacht, der weg der wer nit weit.
die meit lag auch da in dem strauß.
die frau die sach zum venster auß,
ob sie die meit sech laufen her.

muß ihn auf den Gedanken gebracht haben. Er hat mir die Suppe kräftig versalzen. Hätte ich nur eine Ahnung von diesem An- schlag gehabt, dann hätte mich gewiß niemand hierher gebracht. Wahrhaftig, ein Spitzbube, der das ersonnen hat!« Der Knecht wollte nun wieder hinlaufen, um den Pfaffen zu prügeln und zu raufen, aber der Herr sagte: »Noch nicht, es ist noch nicht an der Zeit. Ich wittere noch mehr Wild hier in der Gegend. Warte und laß uns noch ein Weilchen lauern hier drinnen, während jene draußen sind.«

Als der Pfaffe nicht rechtzeitig kam, wunderte sich die Frau, der Weg sei doch nicht weit, und weil sie ja glaubte, ihr Mann liege im Bett und schlafe, rief sie ihre Magd heimlich zu sich und sagte: »Nimm deine Kleider und schleiche leise wie ein Mäuslein zur Hintertür hinaus. Lauf zum Haus des Pfaffen und sprich, wenn er noch kommen wolle, so solle er traben, solange der Krämer geöffnet habe und die Ware feil sei, der Krämer wolle seinen Laden bald schließen.« Die Magd machte sich also auf den Weg, lief zur Hintertür hinaus und – fiel auch in die Grube. Wieder wollte der Knecht hineilen, und wieder sagte der Herr: »Nein, bleib hier. Wir wollen Gott danken, daß er uns heute nacht mit solchem Wildbret beschenkt, das man nicht kocht oder brät.«

Als auch die Magd nicht beizeiten zurückkehrte, dachte die Frau wieder, daß der Weg doch gar nicht weit sei, während die Magd ja draußen in der Patsche saß. Sie schaute zum Fenster hinaus, ob sie die Magd nicht kommen sähe. Sie wußte ja noch

sie weßt doch nicht umb die gefangen mer.
sie gedacht: »mein man der leit und schleft«,
und weßt doch nicht umb das gescheft.
»nu bleibt es doch nit unterwegen.
dieweil mich nit irrt wint noch regen,
ee wil ich selber hinab laufen. «
sie vorcht, sie mechten daniden ein haufen,
das si baid als lang außen waren.
sie gehieß der meid eins zun aren.
sie mocht ir dann nit überwinden
und hub sich, außzulaufen hinden.
do si nu kam für das tor,
da die gefangen lagen vor,
da hub sie sich, gar schnell zu laufen,
und meint ie, sie fünds ob einem haufen,
den pfaffen und ir treue meit.
mit dem sie auf die hürd schreit
und vil auch hinab an die schar.
    Der herr sprach: »nu hab wir es gar.
nu vach wir nimer auf dise nacht.
hett ich das stellen ee erdacht,
es hülf mich umb ein gute ku,
ich lüg daran nit, sprech ich zwu. «
von seinem knecht er do begert,
das er pald seß auf ein pfert
und ritt nach iren freunden und magen.
den wolt er do ir schand klagen,
das er ein solche valentin hett,
die an iren eren wer unsteet.
    der knecht der kam mit grossem prangen.
sein herr furt sie, do sie lagen gefangen
in der gruben alle vier,
drei menschen und ein wildes tier.
er sprach: »secht an, freund und gesellen,
all die sich vor schanden hüten wellen,
die sehen dises laster an,

nichts von ihrer Gefangenschaft. »Mein Mann liegt im Bett und schläft«, so meinte sie, weil sie nichts von seinem Anschlag wußte. »Das Ding soll trotzdem nicht unterbleiben. Eher will ich selber losziehen, solange mich nicht Wind und Regen daran hindern.« Sie fürchtete nämlich, daß Pfaffe und Magd aufeinander lagen, weil sie so lange ausblieben, und sie versprach der Magd insgeheim eine Ohrfeige. Nun konnte sie nicht mehr an sich halten, und als sie vor die Hintertür kam, wo die drei gefangenlagen, begann sie zu laufen, weil sie ja glaubte, sie könnte sie übereinanderliegend ertappen, den Pfaffen und ihre »treue« Magd. Dabei trat sie auf die Falltür und fiel auch hinunter zu den übrigen.

Jetzt sagte der Herr: »Wir haben sie beisammen. Mehr werden wir diese Nacht nicht fangen. Hätte ich das Fallenstellen nur früher ersonnen, ich hätte eine gute Kuh daran gespart, ja ich lüge nicht, wenn ich sage: zwei.« Dann hieß er seinen Knecht ein Pferd besteigen und nach den Freunden und Verwandten der Frau ausreiten. Ihnen gegenüber wollte er sich über die Schande beklagen, daß er eine solche Unholdin zur Frau habe, die so wenig auf ihren Ruf achte.

Bald brachte sie der Knecht in stattlichem Zuge herbei. Der Edelmann führte sie zur Grube, in der die vier gefangen lagen: drei Menschen und ein wildes Tier. Und so lautete seine Rede: »Schaut her, Freunde und Gefährten! Wer sich vor Nichtswürdigkeit hüten will, der sehe sich diese Schandtat an, die meine

das mein weib hie hat getan.
nu kummt es heint an die sunnen,
was mein weib oft hat begunnen,
und wer ich nit so gut gewesen,
ich hett ir doch nit lassen genesen.
vil liber wer ich selber tot. «
die frau erschrack, das sie wart rot,
und ergab sich genzlich in sein gnat
und sie in auch gar freuntlich pat.

    die freunt verrichtens da zuhant,
das sie nit mer kam in schant,
und machten zwischen in frid und sun,
und das sie sein solt nimmer tun
pei allen heiligen und pei got,
das sie nit tret über das gepot:
da sollt im töten sein erlaubt,
abhauen hend, füß und haubt.

    den pfaffen paten sie im auch ab.
doch wolt er ein straf von im hab:
»wer pöslich dint, dem sol man lan,
als ie die weisen haben getan,
idoch sol man im geben zu,
das er sein fürbaß nimer tu.
nit neher sol er kumen zu gnaden. «
er ließ im außschneiden bed hoden
und hieß da schmiden den ein nirn
an ein ketten da an die dirn
und ließ irn henken an irn hals,
das sie im gedint hett so valsch,
und sie dapei gedechtnus hett
und eines solchen nit mer tet.
darnach er in sein gaden ging.
den andern niren er do hing
all für sein pet da an die want,
das seinem weib da würd bekant,
das sie so unrecht hett getan,

Frau hier vollbracht hat. Heute ist es ans Licht gekommen, was meine Frau oft getrieben hat, und wäre ich nicht so gutherzig gewesen, ich hätte ihr das Leben genommen, wiewohl ich lieber selbst tot wäre.« Die Frau erschrak, und Röte überlief sie. Sie gab sich ganz in seine Gewalt und flehte ihn inständig um Verzeihung an.

Die Freunde brachten es bald dahin, daß ihr weitere Schande erspart blieb und daß zwischen ihnen ein Versöhnungsvertrag zustande kam mit der Bedingung, sie sollte bei Gott und allen Heiligen so etwas nicht wieder tun; wenn sie sein Gebot aber doch überträte, so sollte er sie töten dürfen und ihr Hände, Füße und Haupt abschlagen.

Den Pfaffen baten sie auch los, doch forderte er eine Strafe für ihn: »Wer einen üblen Dienst leistet, dem soll man übel lohnen. So haben es seit je kluge Leute gehalten. Doch soll man ihm die Möglichkeit geben, künftig solche Dinge zu unterlassen. Weiter kann man ihm mit Nachsicht nicht entgegenkommen.« So ließ er ihm beide Hoden abschneiden. Den einen hieß er an eine Kette schmieden und sie der Magd, die ihm so schlecht gedient hatte, um den Hals legen, damit ihr das zur Warnung diene, dergleichen nicht wieder zu tun. Dann ging er in seine Schlafkammer und hängte den anderen dort vor sein Bett an die Wand, seiner Frau zur Erinnerung an ihren Fehltritt: sie sollte das künftig

und sich solt stossen fürbaß daran
und solt das all tag vor ir lesen,
wölt sie anders vor dem tod genesen.

    Das will ich allen reinen frauen schenken,
das sie auch daran gedenken
und dise ergangen sach für sich nemen
und sich vor solchen sünden schemen,
damit sie verliesen ir zucht und er.
volgen sie nit meiner ler,
so gereut es sie vil ee dann mich
und vert durch ir ere auch ein strich,
der in nimermer wirt abgetan;
damit sie verliesen ir eren kran,
die den reinen frauen ist bereit
pei got dort in der ewigkeit.
da helf uns got hin mit seiner güt.
also hat gedicht Hanns Rosenplüt.

immer vor Augen haben und es jeden Tag anschauen müssen, wenn sie die Todesstrafe meiden wollte.

Das ist mein Geschenk an die anständigen Frauen: daß sie auch daran denken, sich die erzählten Ereignisse vor Augen stellen und sich vor solchen Schandtaten hüten, die ihrer Erziehung und ihrem Ruf zuwiderlaufen. Beherzigen sie meine Lehre nicht, so wird es sie mehr schmerzen als mich und wird einen Strich durch ihr Ansehen ziehen, der nicht mehr auszulöschen ist. Damit verwirken sie auch die Ehrenkrone, die bei Gott in der Ewigkeit auf die reinen Frauen wartet. Dorthin zu gelangen helfe uns Gott in seiner Güte. Das dichtete Hans Rosenplüt.

Philipp Frankfurter
Die Geschichte des Pfaffen vom Kalenberg

(1473)

Wie der Pfaffe vom Kalenberg zur Kirchweih des Bischofs kam

Weil der Pfaffe vom Kalenberg dem Bischof einmal eine freche
Antwort gegeben hatte, bestellt ihn dieser auf Kirchweih zu sich.

Er sprach: vergebt mirß mein capelan,
was ich wider euch hab gethan,
wir wollen unß noch wol gleichen[1],
kumpt mir zu allen kirich weichen.[2]
Der pfarrer des vil seer erschrickt,
hin und her er umb sich plickt,
ob im indert einer gezem[3]
und der in von dem dinst[4] nem,
aber nindert keinen kund er.
In seinen sinnen erfandt er
aber ein ander abenteür[5],
die im do was ein gutte steür.[6]
Er kam wol zu der schafferin[7]
des weichbisschoff[8], das erß nit in
ward[9], und pat sie fleissigklich[10];
das sie im hülff von der kirich weich.
Das wolt er umb sie dienen ab.[11]
Sie sprach: »gewalt ich sein nit hab.«[12]
Er sprach: »ir habt in wol mein fraw,
nun thut nur, alß wol ich euch traw,
und halt die sach do ganz verschwigen,
so ir do heint[13] pei im thut ligen,
untter dem bett so last mich knotzen[14],
seet hin und habt euch dissen schnotzen[15]
der alten müntz do ungezelt,
kaufft euch ein peltz, der euch gefelt,
dar zue von sammat[16] ermel gut.

Die stund mir nur zu wissen thut.
Wan er zu euch do wirt schleichen,
heist euch die füchß küerssen[17] weichen,
ee, das er zu arbeit thut greiffen,
so wil ich auf der orgel pfeiffen.«
Der zerung[18] was die schafferin fro:
»von hertzen gern thu ichß also,
do mit ich peltz und ermel gilt[19],
mein her der wirt von mir gezilt[20],
ee heint die glock schlecht achte.
Seid nur recht munter und wachte,
seines willen ich im nit gestee[21]
er weich[22] mir dan mein capellen ee[23],
das thut, ich weiß wol, zu den dingen.
Das koer gesanck[24] kan ich wol singen.«
Die kelnerin in do hin schmuckt[25],
unter dem bett der pfarrer huckt.
Die kelnerin hat wol geticht[26],
die kamer alß ein capellen zu gericht,
czu ring umb und umb[27] an der went
vil kertzen wurden do verprent.
Der bisschoff ein di kamer trat,
die kelnerin er im sagen pat:
»Was sol das hie bedeuten sein?«
sie sprach: »vil lieber herre mein,
ich pit, ir welt mich nit verzeihen[28],
ir welt mir mein capellen weihen,
die mir gepuaut[29] ist an dem pauch,
fürcht sie nit, das sie do ist rauch.[30]
Welt ir anderst euren willen han,
so hebt nur bald zu weihen an,
sust müst ir ewig sein verziegen.«[31]
Mit dem sie auf das bet stigen.
Der bisschoff sprach: »du hast nit witz.«[32]
»Her ich sag euch nun das und ditz.«
Den ernst der bisschoff an ir sach,

hin zu dem weihen waß im gach,
do mit er nit verlür ir huld.
Er hub an mit andacht und duld[33],
alß es do von recht solt sein,
der pfarrer der vieng an zu schrein
und sang do, alß er wol wiste:
»terribilis est locus iste«[34],
alß man zu kirch weich thut pflegen.
Der bisschoff thet für sich den segen
und sprach zu der selben frist:
»was teuffels hin verporgen ist?«
Er stund bald auf und den[35] beschwuer,
der pfarrer pald her für fuer
auß dem pette und frolich sprach:
»her bisschoff, ich muß alzeit nach
euren kirchweihen ziechen[36],
und solt ich halt dar zue kriechen,
ich fürcht hart[37] ewer schwer gepot.«
Der bisschoff sprach: »do sam mir got,
ich het dein pei der weich kein acht,
der teuffel dich wol her hat pracht,
far hin und kum zu keiner mer«,
der pfarrer genadt[38] dem bisschoff seer
und auch dar zu der kelnerin[39],
mit freuden fuer er do von hin
hin wider heim zu seinem hauß,
dar in er lebt mit freud und sauß[40],
und dacht, er hetz alß uber wunden.

1 gleichen: *gütlich einigen* 2 kirich weichen: *Kirchweih* 3 gezem: *passe* 4 dinst: *Verpflichtung* 5 abenteür: *keckes Vorhaben* 6 steür: *Aushilfe* 7 schafferin: *Haushälterin* 8 weichbisschoff: *Weihbischof* 9 nit in ward: *nicht merkte* 10 fleissigklich: *geflissentlich* 11 dienen ab: *vergelten, erkenntlich sein* 12 gewalt ich sein nit hab: *ich kann es nicht zuwege bringen* 13 heint: *heute* 14 knotzen: *hocken, knieen* 15 schnotzen: *Geldsäckel* 16 sammat: *Samt* 17 füchß küerssen: *Fuchs-*

pelzkleid 18 zerung: *Entgelt* 19 gilt: *verdiene* 20 gezilt: *bestellt*
21 nit gestee: *nicht zugestehe* 22 weich: *weih* 23 ee: *ehe* 24 koer
gesanck: *Chorgesang* 25 in do hin schmuckt: *ließ ihn sich schmiegen*
26 wol geticht: *gut ausgedacht* 27 czu ring umb und umb: *rings umher*
28 mich nit verzeihen: *es mir nicht versagen* 29 gepuaut: *gebaut*
30 rauch: *rauh* 31 sein verziegen: *abschlägig beschieden sein* 32 witz:
Einsehen 33 duld: *Geduld* 34 terribilis est locus iste: *schrecklich ist dieser
Ort* 35 den: *den Teufel* 36 ziechen: *begeben* 37 hart: *sehr* 38 genadt:
dankte 39 kelnerin: *Hausmagd* 40 sauß: *Fröhlichkeit*

Neithart Fuchs
Neithart Fuchs und das erste Frühlingsveilchen

(etwa 1491/1497)

Urlab hab[1] du winter,
reif und auch der kalte schne!
uns kompt ein sumer linder[2],
der pringt uns pluomen und kle.
gar sumerlich ew stöllet[3]
ir ritter und ir frawen!
ir solt auf das meien plan[4]
den eesten veiel[5] schawen!
der ist wuneclich getan[6],
die zeit hat sich gestöllet.[7]
ir söllt den sumer griessen[8]
und als sein ingesinde[9],
er kan wol kumer piessen[10]
er ist suoß senft und linde,
des[11] wil ich auf des meien plan
den ersten veiel suochen.
got geb, das es mir wol ergang
der zeit will ich geruochen[12]
seit[13] si mir woll gefellet.
Da gieng ich hin und her,
uncz[14] daz ich fand das plimlein,
zergangen was mein schwer[15]
und begunde da gar frölich sein
zehand ward ich frölich singen[16],
auf dieselben pluomen
da sturczt[17] ich mein huot,
des funds mag ich mich ruomen[18],
wen es duchte mich so guot,
daz ich meint, mir solt gelingen.
daz sach ein filcze paur[19]
hinder mein in einem tale,

es ward im ze saur[20],
daz er treib so bösen schale.[21]
der Elchenbrecht
zucht[22] auf denselben huot,
und Engelmeirs knecht
ein merdum[23] er darunter tät,
des begunt mich sorgen zwingen.[24]
Da gieng ich also tauge[25]
auf die purg und röt[26] a so:
die red ist one laugen[27],
ir söllt alle wessen[28] fro,
ich han den sumer funden.
die herczogin die fürt ich an meiner hand,
da erhuob sich ein tancz.
Pfeifen, fidlen, florieren[29]
und ander fröd was unß bekant
wol zuo der selben stunden.
wol mit der herczogin fuort ich den reien[30]
schon umb den veiel hin und her,
schier gieng es an ein zweien.[31]
Ich sprach: »genädige fraw knieget nider
und höpt auf den huot,
precht ab den feiel so schöne,
der befilt[32] uns den sumer gut.
die minigclich[33], die reine
die pot dar ir weisse hand,
sie zuckt den huot alleine,
ein großen merdum si darunder fand,
da was all ir fröd verschwunden.
Da sprach die herczogin:
»her Neithart, was hapt ir getan?
das wirt ewr ungewin[34],
die schmacheit[35] sol mir zuo herczen gan,
es mag eüch wol gerewen.
bei allen meinen tagen
geschach mir nie sollich schmacheit,

dem fürsten wil ich es sagen
ich gelaub, es werd sein genaden leid[36],
dein unglück soll sich newen. «[37]
»Waffen[38] uber mich tumen, «
sprach Neithart, »daz ich wer tod,
ei, daz er muoß erkrummen[39],
der mich pracht in dise not.
das selczamliche wunder
lat eüch edle frawe klagen,
west ich, wer dises kunder
hett her getragen,
ich wolt im pliuen seinen kragen.

   Gnad mir, edle frawe mein,
ewr trewer diener wil ich sein,
die weil ich leb uf erden,
auch traw ich got im himel wol, der spot sol gerochen werden.
es hat getan ein acker man,
es wirt im nimer gefarn lan[40],
und sol ich han daz leben.[41]
ich gib im des die treiwe mein[42], es wirt im nit vergeben
das laster, daz er hat getan
mir und den schönen frawen,
es wirt im nimer vergebens gan[43],
er wird darumb erhawen,
das man in zesamen klauben muoß,
der sorgen wirt im nimer puoß[44],
der veiel wirt gerochen
all an den öden törpeln[45], die mir in hand[46] abgeprochen. «

   Es geschach an einem sampstag spat,
darnach am sontag morgen also drat[47]
der veiel wart getragen
all auf den dancz püchel[48] da hin, als ich eüch nun wil sagen,
paur Ruoprecht vnd Ander sein knecht,
Gindelwein vnd Ellenprecht
die gunden[49] frelich springen
all umb den veiel hin und her, in ward ser misse lingen[50]

da kam ein paur, hieß Habersöcz,
und auch sein pruoder Ecke.
und einer, hieß Korenflecz,
und der Jäckel Schrecke
der fiert Metzen[51] bei der hand,
der treib so üppiglichen dant[52]
dort fornen an dem reien,
darnach kam under sie gar schier ein jemerlich geschreie.
    Ein jäger weidnet[53] in dem holcz,
und da sach er die pauren stolcz
fast[54] umb den veiel sappen.[55]
ja einer hin der ander her gunden gra lepisch gnappen.[56]
wol pald fragt er ein hirten do,
warumb die pawren wären fro
das si so frölich sprungen.
»sie tanczen umb ein feiel zart, den hat ein paur gevungen. «[57]
zehant es wart dem Neithart geseit,
vil ritter und auch knechte,
die wurden also schier bereit,
sie rüsten sich zefechten,
si kumen auf den kirchtag do,
des wurden die pauren gar unfro,
man döt si übel schlagen,
hend und füß man in abschluog man müst si danen tragen,
auch kamen zuo dem dancze
Peringer und Irenfrid mit ires krautes krancze[58]
ir waren XXXII
die verluren hend und pein[59],
einer, hieß Spleisig,
wie fast er übern prigel grein:[60]
ie verflucht sei der feiel, den Neithart zuo dem ersten fand.
man schlecht uns wunden und peilen[61]
schier[62] hab wir weder hend noch füß, nun könd wir nimer
springen.
    Der feiel stond auf einer stangen,
der Neithart döt in abherlangen[63],

pracht in der hörczogine:
send[64] hin ir edle raw den feiel, die paurn künden nimer sprin-
gen.
als sie zeleid unß hand getan,
iecz woltens, si hetens gelan[65],
es ist in übel ergangen.
wir habens auf die stelczen gericht[66], darnach döt mich verlangen
des ward die hörczogine fro
und vil der schönen frawen,
si schawten den feiel do,
umb den[67] so wart erhawen[68]
wol zwen und dreisigk durch den giel[69],
und menger an den rugken fiel[70]
also wart der feiel gerochen
all an den öden törpelen, die in hand[71] abgeprochen.

1 Urlab hab: *Nimm Abschied* 2 linder: *milder* 3 sumerlich ew stöllet: *stellt euch sommerlich ein* 4 plan: *Wiese* 5 eesten veiel: *erstes Veilchen* 6 wuneclich getan: *ist beglückend schön* 7 hat sich gestöllet: *hat sich eingestellt* 8 griessen: *grüßen* 9 ingesinde: *ganzes Gesinde* 10 kumer piessen: *Kummer wieder gut machen* 11 des: *darum* 12 geruochen: *genießen* 13 seit: *weil* 14 uncz: *bis* 15 schwer: *Betrübnis* 16 zehand ward ich frölich singen: *sogleich fing ich fröhlich zu singen an* 17 sturczt: *stülpte* 18 ruomen: *rühmen* 19 filcze paur: *grober Bauer* 20 es ward im ze saur: *das ärgerte ihn so sehr* 21 schale: *Lärm, Streich* 22 zucht: *hob* 23 merdum: *Scheißhaufen* 24 begunt mich sorgen zwingen: *stand mir Verdruß bevor* 25 tauge: *heimlich* 26 röt: *redete* 27 one laugen: *widerspruchslos* 28 wessen: *sein* 29 florieren: *singen* 30 reien: *Reigen* 31 schier gieng es an ein zweien: *schnell begann paarweise der Tanz* 32 befilt: *verkündet* 33 minigclich: *lieblich* 34 ungewin: *Schaden* 35 schmacheit: *Kränkung* 36 es werd sein genaden leid: *seine Gnaden werden es übel nehmen* 37 newen: *erneuern* 38 Waffen: *O jeh!* 39 erkrummen: *krumm werden* 40 es wirt im nimer gefarn lan: *ich lasse es ihm nie und nimmer durchgehen* 41 und sol ich han daz leben: *solange ich lebe* 42 treiwe mein: *mein Wort* 43 vergebens gan: *folgenlos hingehen* 44 puoß: *Ersatz* 45 öden törpeln: *häßlichen Tölpeln* 46 hand: *haben*

47 drat: *eilig*   48 püchel: *Hügel*   49 gunden: *begannen*   50 in   ward
ser misse lingen: *es ging böse für sie aus*   51 Metzen: *Margarete* .   52 üp-
peglichen dant: *ausgelassenen Scherz*   53 weidnet: *jagte*   54 fast: *tüchtig*
55 sappen: *trampeln*   56 lepisch gnappen: *närrisch springen*   57 gevun-
gen: *gefunden*   58 mit ires krautes krancze: *mit ihresgleichen*   59 pein:
Beine   60 übern prigel grein: *über den Grasplatz schrie*   61 peilen: *Beu-
len*   62 schier: *fast*   63 abherlangen: *herunterreichen*   64 send: *seht*
65 iecz woltens, si hetens gelan: *wollten sie, sie hätten es gelassen*
66 wir habens auf die stelczen gericht: *wir haben ihnen Stelzen (Beinpro-
thesen) verpaßt*   67 umb   den: *seinetwegen*   68 erhawen: *gehauen*
69 giel: *Kehle*   70 menger an den rugken fiel: *mancher fiel auf den
Rücken*   71 hand: *hatten*

Burkhard Waldis
Aesopus

(1548)

Vom jungen Gesellen und einem Wirt
Vom jungen Gesellen und einem Wiert.

Ein junger Gsell zohe[1] uber Land
   An örtern, da er unbekant,
Und kert zu einem Wiertshauß ein,
   Zu trincken da ein halb maß Wein,
Erquicken mit dem Safft von Reben,
   Darnach wider zu weg begeben.
Er setzt sich bei der thür darnider;
   Der Haußknecht bracht ein Wein, gieng wider
Sein weg; da kam der Wiert herfür,
   Trat zu und seicht[2] hinder die Thür
So viel, das ward im Hauß gar naß.
   Der Gsell sprach: »warumb thut jr das?
Verunreinigt ewr eigen Haus?«
   Er sprach: »ich ziehe doch morgen auß.
Was leit daran? es ist mein nit;
   Hab nur drinn gwohnt diß jar zur mith.[3]
Wer denn rein kompt, mags wider fegen. «
   Der jung Gesell thet sich erwegen,
Ein großen hauffen schiß dazu.
   Da sprach der Wiert: »was machstu nu?«
Da sprach der Gast: »was leit[4] daran?
   Ich ziehe doch jetzt von stund davon. «
Allhie siht man, wie die Welt thut
   Bey frembdem oder gemietem gut.
Ein gmietes Roß man weidlich[5] reit,
   Auß frembder heut[6] breit Riemen schneid;
Ins andern Ohr schneid man so sehr,
   Als obs ein alter Filtzhut wer.

---

1 zohe: *zog* 2 seicht: *urinierte* 3 mith: *Miete* 4 leit: *liegt* 5 weidlich:
wacker 6 heut: *Häute*

Hans Sachs
Die Müllerstochter mit der Eselin

(1556)

Des müllers dochter mit der eslin

In dem gailen thon[1] Frawenlobs

1.

In dem Schlesinger lande
Ein müller wonung hat,
Nit weit von ainer stat;
Der selb ein jünge maide
Pey achze jaren het.
   Die er in die stat sande
Mit ainer eselin,
Das sie holet darin
Koren[2] vnd ander draide[3],
Das er den malen thet.
   Die dochter frölich auf dem weg hin sünge,
Wan sie war wolgemüt, gesunt und jünge.
Mit eim knecht durch ain thon
Her rait ain edelmon,
Den sein gailhait pezwünge,
Der rett[4] das maidlein on:

2.

   »Wie thüest so frolich singen
Her in der morgen frwe?[5]
Ich glaub furwar, das dw[6]
Seist pey deim knecht gelegen,
Hat dir das pös ding thon.«
   Das maidlein zu den dingen
Sprach: »Wirt man wolgemuet,
Wen man das pös ding thüet?
Jüncker, das thw ich fregen,

167

Zaigt mir die warheit on!«

Der edel man sprach: »Von kaim ding auf erden,
Pey meinem aid! thüet man frolicher werden.«
Aus ainfeltigem sin
Sprach das maidlein zu in:
»So pit ich mit pegerden[7],
Thüetz meiner eselin!

3.

Secht, wie henckt sie ir oren,
Set her gancz trawricleich.
Macht sie auch frewdenreich
Mit dem posen ding eben
Alhie an diesem ort!«
Der wort[8] ist schamrot woren
der gaile edelman,
Reut mit dem knecht darfon,
Thet ir kain wort mer geben.
Darfon kümbt das sprichtwort,
Das sagt: wer mit honworten ains pethöret
Und mit gespöt ainem sein frewd zerstöret,
Der selb müs widerüm
Auch horren gleicher süm,
Das er nit geren höret,
Und darff nit züernen drum.
Anno salutis[9] 1556, am 26 tag Marcii.

---

1 gailen thon: *fröhlichen Melodie* 2 Koren: *Korn* 3 draide: *Getreide*
4 rett: *redete* 5 frwe: *Frühe* 6 dw: *du* 7 pegerden: *Begehren* 8 der
wort: *von diesen Worten* 9 Anno salutis: *im Jahre des Heils*

Achilles Jason Widmann
Historie von Peter Leu
(1558)

Wie Peter Leu Pfarrherr zu Fichberg wurde und Leintuch
sammelte, um das Höllenloch zu verstopfen
Wie Peter pfarrherr zu Fichberg ward und tuch samlet, das loch,
so in die hell solt gefallen sein, zu verstopfen.

Als der pfarrherr von Fichberg starb
und herr Peter die pfarr erwarb
von dem prelaten zu Murhart,
prediget er nach seiner art,
trug ihn vor ein schlecht exempel:
»Lieben kind, ehrt gottes tempel!
ihr secht[1], ich hab mit euch groß müh,
theilt mit mir ewer schaf und küh,
beide ewer kind, gut und weib!
ich muß versehen ewern leib
und die seel, daß sie nit leid pein,
embsig solt ihr mit opfern sein,
es wirt euch tausentfach erstatt. «
Nun am herbst sich begeben hat,
als die nebel gewonlich reiren[2],
von bergen in deler[3] steigen,
Kam ein alt weib zu herr Peter,
sagt: »ich frag euch, mein lieber herr,
wie kompt, daß sein so viel nebel
und schmacken[4] wie rauch vom schwebel?«[5]
Peter sagt: »es sein leidig märn[6],
fraw, welche ich euch nit sag gern.
Herr, hat sich einr selb erstochen?
Nein, ein loch ist in dhell[7] brochen,
darauß reucht[8] dieses nebels gestank,
der die alt menschen sehr macht krank.

Wenn wir nit gnade erwerben,
so muß wir warlich all sterben.«
»Lieber Herr, wie thet man der sach?«
das alt weib zu herr Petern sprach.
Peter sagt: »fraw, ein guten rath
zu dieser sach man geben hat,
wie ich denn find in einem buch:
man sol nemen gut flächsin[9] tuch
mit klein flächsin garren[10] strengen[11]
und die mit weichwasser sprengen
und dieses loch mit zudammen[12],
gnad erlangen euch allsamen,
die hierzu geben hilf und stewr[13],
damit geleschet werd diß fewr.
Es sein auch verordnet person,
die solchs dem volk verkünden thon
und diß almusen[14] einbringen,
verordnet zu diesen dingen,
bin ich auch einer, liebe fraw.
Ein ieder gemeinen nutz[15] anschaw,
damit geleschet werd diß fewr!
gebt ihr darzu ewr hilf und stewr,
ich empfah[16] es, schicks an die ort,
da solches garren hingehort.
Welcher viel tuch und garren geit,
demselben als mehr gnad beileit.[17]
Das weib wist nit, daß es war scherz,
zu geben ward enzündt ihr herz,
bracht Petern dreißig ellen tuch.
Darnach, als kam die ander woch,
brach das geschrei an all ort auß,
da ward ein lauf[18] in Peters hauß
von den bewrin[19] auf den wälden,
erachten das ihr seel selden[20],
welch Petern viel tuch geben theten.
So bekam er leilach zun betten[21]

damit trug man zu tuch und garn.
Biß die sach die bewrin erfahrn,
hett er zu ihm bracht gnug leinwat[22],
damit sein hauß versach er satt.[23]

1 secht: *sagt* 2 reiren: *herabsinken* 3 deler: *Täler* 4 schmacken: *Schwaden* 5 schwebel: *Schwefel* 6 leidig märn: *schlechte Nachrichten* 7 dhell: *die Hölle* 8 reucht: *raucht* 9 flächsin: *leinenes* 10 garren: *Fäden* 11 strengen: *stramm verknäulen* · 12 zudammen: *zustopfen* 13 stewr: *Unterstützung* 14 almusen: *milde Gabe* 15 gemeinen nutz: *allgemeiner Nutzen für alle* 16 empfah: *nehme entgegen* 17 beileit: *zukommt* 18 lauf: *Gerenne* 19 bewrin: *Bäuerinnen* 20 erachten das ihr seel selden: *hielten das für ihr Seelenheil* 21 leilach zun betten: *Leintücher und Betten* 22 leinwat: *Leinwand* 23 satt: *reichlich*

Facetien des 15. und 16. Jahrhunderts

Augustin Tünger
Facetiae

(1484)

Marquardus de Emps, miles auratus, quondam magistrum civium oppidi Lindow in arcem suam Emps fecerat invitatum. Habito autem convivio bene lauto miles hospiti, ut eo liberalius haberi videretur, singula castri penetralia videre potestatem facit. Vento autem in quoddam armarium, ubi varia et cultrorum et ensium reposita erant genera, miles, ut etiam majorem hospitis captaret benivolentiam, eligendi cultri, quem vellet, hospiti optionem fecit. Is autem primo honestatis gratia renuere, quod ejus merita eo non accederent; miles vero magis instare et usque precibus fatigare, dum hospes cultrum unum pre aliis opera nobilitatum eligit. Tum miles: »Bene est«, inquit. »Sit tuus iste cultellus, hac tamen lege, quod non minus in hoc suo hereat loco! Et si quos inantea introduxero, te cultelli hujus fore dominum cerciores reddam.«

In villa Meils, ab urbe curiensi millibus passuum quinque, fuit mulier quedam, que, licet nupta fuerat marito, contempta tamen matrimonii lege etiam aliis viris in Venere morem gerebat. Quod etsi maritus egre paciebatur, ne tamen primo crudelius de uxore tius videbatur, rem ad socerum defert. Socer vero, tametsi filiam noverat culpe obnoxiam, ut tamen genero dolorem et filie penam levaret, ad consultationem animum intendit, asserendo, rem istam in filia minus dolendam, que, dum genitricem suam imitaret, hec admitteret, deposituram tamen eam fore tempore, quippe cujus mater etiam talia agere in juventa solita fuisset, sexagennariam tamen abstinuisse; sic procul dubio filiam facturam, ubi sexagesimum inacta sit annum.

Augustin Tünger
Facetiae

(1484)

Das Geschenk

Eines Tages lud Ritter Marquart von Ems den Bürgermeister
von Lindau auf sein Schloß Ems. Nach dem Essen führte der
Ritter den Gast im Schloß umher, um es zu besichtigen. Sie
kamen in eine Kammer, wo allerlei Messer und Schwerter
hingen. Weil der Ritter gegenüber dem Gast freundlich sein
wollte, ließ er ihn ein Messer aussuchen, welches er haben
wollte. Zuerst weigerte sich der Gast, weil ihm dies nicht
zustehe. Der Ritter aber bat so lange weiter, bis der Gast ein
höchst erlesen gearbeitetes Messer wählte. Da sprach der Ritter:
»Recht so. Das Messer sei Euch, doch mit dem Unterschied, daß
es trotzdem an dieser Stelle hängenbleibt. Wer künftig hierher
kommt, dem will ich sagen, das Messer gehört dem Bürgermei-
ster von Lindau.

Trost

Im Dorf Mels, eine Meile Wegs von Chur gelegen, war eine Frau,
die, obwohl sie einen Ehemann hatte, nichtsdestoweniger den
Vollzug der Ehe anderen Männern in Liebe gewährte. Obwohl dies
dem Manne zuwider war, schob er die gebührende Strafe hinaus –
er wollte seinem Weibe gegenüber als nicht zu hart angesehen
werden – und fragte seinen Schwiegervater um Rat. Der Schwie-
gervater aber, obwohl er seine Tochter schuldig wußte, ließ sich
herab, seinen Schwiegersohn zu trösten, um dessen Kummer und
seiner Tochter Strafe geringer zu machen. Er sagte, das müsse man
an der Tochter nicht betrauern, wenn sie darin ihrer Mutter
nachkäme. Mit den Jahren aber würde sie davon ablassen. Auch
ihre Mutter sei in der Jugend so gewesen, aber als sie sechzigjährig
geworden sei, hätte sie damit aufgehört. So würde es ohne Zweifel
die Tochter tun, wenn sie sechzig Jahre alt wird.

Heinrich Bebel
Facetiae

(1508/12)

De quodam lanceario

In eadem militia meruit ad aliquot annos mihi notissimus; qui cum ad duos annos ab uxore abfuisset, ipsa nihilominus puerum peperit. Quod ubique narrare solebat: se habere fetuosam et fructiferam mulierem, quae se etiam absente pueros gigneret.

De calliditate mulierum historia vera

Quaedam adultera confessa sacerdoti: habere se puerum ex adultero, non marito. Ea conditione absoluta est, ut viro, qui educaverat, indicaret. Consensit mulier seque facturam pollicetur eaque calliditate fecit. Induxit maritum, ut flentem puerum personatus deterreret, ut minis a fletu temperaret. Vir doli nescius accedit personatus puerumque se, ni taceret, asportaturum minitatur. Ad quem uxor manibus gestans puerum: »Abi, inquit, male vir, iste puer non est tuus!« Hocque saepius repetivit atque ita sacerdoti satisfecisse sibi persuasit.

Heinrich Bebel
Facetiae

(1508/12)

Von einem Landsknecht

In einem Fähnlein diente einer, der war mir schon etliche Jahre
wohlbekannt. Als der fast zwei Jahre von seiner Frau weg war,
hatte diese nichtsdestotrotz ein Knäblein geboren. Dies pflegte er
allenthalben zu rühmen, da ihm Gott ein so tragendes und
fruchtbares Weib geschenkt hätte, das ihm auch Kinder brächte,
wenn er nicht daheim sei.

Eine wahre Geschichte von der Listigkeit der Weiber

Eine Ehebrecherin hatte einem Priester gebeichtet, daß sie ein
Kindlein von einem Buhler, nicht von ihrem Mann hätte. Ihr
wurde auferlegt, daß sie dies ihrem Mann, der es erzogen hatte,
anzeige. Das Weib willigte ein, versprach es zu tun, und hat es
auch mit solcher List getan: Sie hat ihren Mann überredet, er
solle das weinende Knäblein in einer Verkleidung erschrecken,
damit es durch die Bedrohung vielleicht aufhörte zu weinen. Der
Mann, der von der List nicht wußte, trat in die Stuben und
drohte dem Knaben, er werde ihn wegtragen, wenn er nicht still
sein würde. Da nahm das Weib das Kind auf den Arm: »Mach'
dich hinweg, du böser Mann, das Kind ist nicht dein.« Sie hat
diese Worte oftmals wiederholt und sich eingeredet, damit hätte
sie dem Priester Genüge getan.

De quodam advocato

Quidam advocatus post multas causas, in quibus victor evasit, monachus factus est. Et cum negotiis monasterii praepositus multis in causis succubuisset, interrogatus est ab abbate, cur omnino in causis agendis mutatus esset. Respondit: »Non audeo mentiri ut ante; ideo amitto causas.«

Von einem Advokaten

Ein Advokat wurde, nachdem er viele Rechtshändel gewonnen hatte, ein Mönch. Als man ihm die Händel des Klosters anvertraut hatte, gingen die meisten verloren. Da fragte ihn der Abt, warum er ständig die Sachen verliere, und er antwortete: »Ich darf nicht mehr lügen wie ehedem, deshalb verliere ich.«

Schwanksammlungen und Schwankromane des 15. und 16. Jahrhunderts

Heinrich Steinhöwel
Aesop

(1474)

Eine Frau klagt ihren Mann an, daß er keinen hätte
Ain frow verklaget ieren man, er hette kainen.

Ain ainfältige junge frow mainet, ain iederman solte baß[1] ge-
wapnet syn, wann[2] andere tier. Darvon schrybt Poggius[3] dise
schimpffred.[4] Ain edler wolgestalter jünglich nam ain wyb, die
tochter Nerii Pacii des ritters zuo Florencz. Und nach ettlichen
tagen (als dann gewonlich ist) kam die jung frow wider in ieres
vatters hus, nit fröliche und schimpffig[5], als gewonlich die
nüwen brüten[6] sint, sonder unmuotig mit trurendem[7] angesicht
gegen der erden gekeret. Die muoter berüffet sie haimlich in die
schlaffkamer und fraget der ursach ieres trurens, und ob es nit
wol umb sie stünde. Do antwürt ir die jung frow wainend: Du
hast mich ainem zuogemähelt[8], der nit ain man ist, sonder dem
die manliche gelid gebrechent.[9] Wann[10] des tailes zuo den wer-
ken, darumb die ee ist uffgeseczet[11], hat er nichtz oder gar
wenig. Die muoter ward ser trurig um das unglük ierer tochter,
und saget die ding alle ierem man Nerio, der ließe die fründ alle
berüffen zuo ainer wirthschafft[12] und erzelet inen daz ungefell[13]
syner tochter, darum alle fründ und das gancz hus in laid und
unmuot geseczet wurden, daz ain sölliche schöne junkfrow nit
allain übel vermählet, sonder von ainem unmügenden[14] erste-
ket[15] syn solte. Indem gaut[16] der jüngling ouch yn, und als er sie
alle sicht unmuotig und trurig syn, wondert er, waz nüwer[17]
sachen inen wärent zuogestanden[18], darumb sie in truren stuon-
den. Aber da was kainer, der im die ursache ieres trurens
getorste[19] sagen. Ze letzt ainer, der fryers gemütes waz[20], sprach
zuo im: Dyn wyb sagt von dir, du habist kainen. Da ward der
jüngling frölich und sprach: In kainen weg sol dise ursach uns
bekümern oder unser wirtschafft zerstören, deren klage würt
lychte entschuldigung. Und so sie alle gelych ob dem tisch

182

saßen, frowen und man, und vil nach gar geeßen hetten, stat der jüngling uff und spricht: Lieben fründ, ich merke, daz ich in ainer sach würde geschuldiget; ob die war sye, darüber will ich üch laßen erkennen. Damit zoch er uß ain große wer[21] und wol erzügten[22] strytkolben[23] (wann er hette kurcze klaider an) und leget in uff den tisch, damit er menglichen[24] frowen und man beweget, die ding ze senhen und von der größy zu reden. Do fraget der jüngling, ob er ze schuldigen[25] oder ze verwerffend[26] wäre. Der merer tail der frowen wonschtent, daz iere man so vil hettent, vil der mann bekanten, daz sie von söllichem husraut[27] überwonden[28] werent, und kerten sich alle gegen der frowen und strafften sie schwarlich umb[29] iere torhait. Do sprach sie trüczlich:[30] Warumb straffen ir mich? unser esel, den ich nun nachst in dem göw[31] gesenhen, ist doch ain unvernünfftigs tier, und hat wol ain so langen und großen, und zöget das mit gestrecktem arm, so ist diser myn man ain vernünftiger mensch, und hat hart[32] halb so vil. Darby[33] ward ir torhait gemerkt, daz sie mainet, daz die menschen, umb daz sie vernünftig sint, größere soltent waffen haben, wann die unvernünftigen tier.

1 baß: *besser* 2 wann: *als* 3 Poggius: *Gian Francesco Poggio Braccioloni* 4 schimpffred: *Spottgeschichte* 5 schimpffig: *scherzend* 6 brüten: *Bräute* 7 trurendem: *traurigem* 8 zuogemähelt: *vermählt* 9 gebrechent: *fehlt* 10 wann: *denn* 11 uffgeseczet: *eingerichtet* 12 wirthschafft: *Gastmahl* 13 ungefell: *Unglück* 14 unmügenden: *Unfähigem* 15 ersteket: *erstickt* 16 gaut: *kommt* 17 nüwer: *neue* 18 zuogestanden: *zugetragen* 19 getorste: *getraute* 20 fryers gemütes waz: *unbefangener war* 21 wer: *Waffe* 22 wol erzügten: *prächtig geformten* 23 strytkolben: *Kampfkeule* 24 menglichen: *sehr viele* 25 schuldigen: *anschuldigen* 26 ze verwerffend: *abzulehnen* 27 husraut: *Hausgerät* 28 überwonden: *überwältigt* 29 umb: *wegen* 30 trüczlich: *bockig* 31 göw: *Weide* 32 hart: *knapp* 33 Darby: *Dadurch*

Hermann Bote
Ein kurzweilig Lesen von Till Eulenspiegel

(1515)

Wie alle Bauern und Bäuerinnen über den jungen Eulenspiegel klagten

Die ander Historie sagt, wie alle Bauren und Pürin[1] uber den jungen Ulenspiegel clagten und sprachen, er wär ein Bub[2] und Lecker[3], und wie er auff einem Pferd hinder seinem Vatter ritt und stilschweigend die Lüt hinden zu in Arß[4] ließ sehen.

Alsbald nun Ulenspiegel so alt ward, daz er gon und ston[5] kunt, da macht er vil Spils mit den jungen Kindern, wann[6] er waz nötlich.[7] Wie ein Aff domlet[8] er sich uff den Küsn[9] und im Graß, so lang, biß er 3 Jar alt ward. Da fliß[10] er sich aller Schalckheit[11] also, daz alle Nachburen gemeinlich uber Ulenspiegel clagten, daz sein Sun Dil Ulenspiegel wär ein Schalck. Do kam der Vatter zu dem Sun und sprach zu ihm: »Wie get doch das imer zu, daz unser Nachburen sprechen, du seist ein Schalck?« Ulenspiegel sprach: »Lieber Vatter, ich thu doch nemen nüt[12], das wil ich dich offenbar beweisen. Gang hi, sitz uff dein eigen Pferd, und so wil ich hinder dich sitzen und stilschweigend mit dir reiten durch die Gassen, noch[13] werden sie uff mich liegen[14] und sagen, was sie wöllen. Des nim acht.« Also thät der Vatter und name ihn hinder sich uff das Pferd. Also lupfft sich Ulenspiegel hinden uff mit dem Loch und ließ die Lüt je in den Arß sehen und saß da wider nider. Da zögten[15] die Nachburn und Nachbürin uff ihn und sprachen: »Pfei dich an wol![16] Ein Schalck ist daz!« Da sprach Ulenspiegel: »Hör Vatter, du sihest wol, das ich stilschweig und niemant nüt thu, noch dan sagen die Lüt, ich sei ein Schalck.«

Also thät der Vatter eins und satzt Ulenspiegel, seinen lieben Sun, für sich[17] uff daz Pferd. Da saß Ulenspiegel stil, aber er spert das Mul uff und zannet[18] die Bauren an und reckt die Zungen uß. Da luffen[19] die Lüt zu und sprachen: »Sehen zu wol!

Ein junger Schalck ist das!« Da sprach der Vatter: »Du bist freilich in einer unglückseligen Stund geborn. Du sitzest stil und schweigest und thust nieman nichts, noch dan sagen die Lüt, du seiest ein Schalck.« Also zoch sein Vatter mit ihm von dannen und zoch mitt Hauß[20] in das Megdburgisch Land uff die Sal[21], daz Wasser. Da her waz Ulenspiegels Mutter. Unnd bald darnach, da starb der alt Claus Ulenspiegel. Da bleib die Mutter bei dem Sun. Also ward die Mutter arm. Und Ulenspiegel wolt kein Handtwerck lernen und was da bei sechzehen Jahr alt und dumelte sich und lernt mancherlei Geckerei.[22]

1 Pürin: *Bäuerinnen* 2 Bub: *Spitzbube* 3 Lecker: *Faulenzer* 4 Arß: *Arsch* 5 gon und ston: *gehen und stehen* 6 wann: *denn* 7 nötlich: *lustig* 8 domlet: *tummelte* 9 Küsn: *Kissen* 10 fliß: *befleißigte* 11 Schalckheit: *Boshaftigkeit* 12 nüt: *nichts* 13 noch: *dennoch* 14 uff mich liegen: *mir etwas anhängen* 15 zögten: *zeigten* 16 Pfei dich an wol!: *Schäme dich!* 17 für sich: *vor sich* 18 zannet: *bleckte* 19 luffen: *liefen* 20 Hauß: *Hausrat* 21 uff die Sal: *an die Saale* 22 Geckerei: *Narretei*

Wie Eulenspiegel zu Dresden ein Schreinerknecht ward und nicht viel Dank verdiente

Die 62. Histori sagt, wie Ulenspiegel zu Dreßen ein Schreinerknecht ward unnd nit vil Dancks verdient.

Bald hub[1] sich Ulenspiegel uß dem Land zu Hessen geen Dreßen für den Böhemerwald[2] an der Elbe und gab sich uß für einen Schreinerknecht. Den nam da ein Schreiner an, der bedorfft Gesellen zu Notturfte[3], dan seine Gesellen hetten ußgedienet und waren gewandert.

Nun ward ein Hochzeit in der Stat, da waz der Schreiner uff geladen. Da sprach der Schreiner zu Ulenspiegeln: »Lieber Knecht, ich muß zu der Hochzeit gon und würd bei Tag nit widerkumen. Thu wol und arbeit fleißig und bang[4] die fier[5] Bretter uff daz Kontor[6] uff daz gnauwest zusamen in den Leim.«

Ulenspiegel sagt: »Ja, welche Bretter gehören zusamen?« Der Meister legt ihm die uffeinander, die zusamen gehorten, und gieng mit seiner Hußfrawen zu der Hochzeit. Ulenspiegel, der frum[7] Knecht, der sich allzeit mer fleiß[8], sein Arbeit widerwärtig zu thun dann recht, fieng an und durchboret die schönen krusen[9] Tisch- oder Kontorbretter, die ihm sein Meister uffeinandergelegt het, an drei oder vier Enden, und schlug sie in Bretblöcher[10] und verkidet[11] sie zusamen. Und soud[12] da Leim in einem grossen Kessel und steckt die Bretter darein und trug die oben ins Huß. Und stieß die oben zum Fenster uß, daz der Leim an der Sonnen trucken solte werden, und macht zeitlich[13] Feirabent.

Des Abentz kam der Meister heim und het wol getruncken und fragt Ulenspiegeln, waz er den Tag gearbeit hät. Ulenspiegeln sagt: »Meister, ich hon die vier Dischbretter uff daz gnawest zusamen in den Leim bracht ond bei guter Zeit[14] Feirabent gemacht.« Daz gefiel dem Meister wol und sagt zu seiner Frawen: »Daz ist ein rechter Knecht, dem thu gütlich[15], den wil ich lang behalten«, und giengen da schlaffen.[16] Aber des Morgens, da hieß der Meister Ulenspiegeln den Tisch bringen, den er bereit[17] und gemacht hät. Da kam Ulenspiegel mit seiner Arbeit von der Büne[18] ziehen.[19] Als nun der Meister sah, daz ihm der Schalck die Bretter verderbt het, sprach er: »Knecht, hast du auch Schreinerhandtwerck gelernt?« Ulenspiegel antwurt, wie er also fragt?[20] »Ich frag darumb, daz du mir so gute Bretter verderbt hast.« Ulenspiegel sprach: »Lieber Meister, ich hab gthon, als Ihr mich hießen. Ist es verderbt, daz ist Ewer Schult.« Er ward zornig und sagt: »Du Schalcksnar, darumb heb dich[21] uß meiner Werckstat, ich hab deiner Arbeit keinen Nutz.« Also schied Ulenspiegel von dannen und verdienet nit grossen Danck, wiewol er alles daz thet, daz man ihn hieß.

---

1 hub: *begab* 2 Dreßen für den Böhemerwald: *Dresden vor dem Böhmerwald* 3 Notturfte: *Aushilfe* 4 bang: *füge* 5 fier: *vier* 6 Kontor: *Rechnungstisch* 7 frum: *tüchtige* 8 fleiß: *anstrengte* 9 krusen: *gemasert* 10 Bretblöcher: *Brettpflöcke* 11 verkidet: *verkittete* 12 soud: *siedete* 13 zeitlich: *zeitig* 14 bei guter Zeit: *zur richtigen Zeit* 15 dem thu

gütlich: *zu dem sei freundlich* 16 schlaffen: *schlafen* 17 bereit: *hergerich-*
tet 18 Büne: *Dachboden* 19 ziehen: *schleppen* 20 wie er also fragt?:
warum er so frage? 21 heb dich: *verschwinde*

Wie Eulenspiegel seine Habe in drei Teilen vermachte

Die 93. Histori sagt, wie Ulenspiegel sein Gut inn drei Teil
vergab, ein Teil seinen Fründen, ein Teil dem Rat zu Mollen[1], ein
Teil dem Pfarer daselbst.

Als nun Ulenspiegel je[2] kräncker ward, setzt er sein Testament
und gab sein Gut in drei Teil. Ein Teil seinen Fründen, ein Teil
dem Radt zu Mollen und ein Teil dem Kirchherren daselbst,
doch mit dem Bescheid[3], wan Gott der Her uber ihn gebüt und
von Todts wegen abstünd[4], so sol man seinen Leichnam begra-
ben uff das gweicht[5] Erdtreich und sein Seel begon[6] mit Vigilen[7]
und Selmessen nach cristlicher Ordenung und Gewonheit. Und
an fier Wochen solten sie einhellich[8] die schon[9] Kist, die er ihnen
anzeigt, mit kostlichen[10] Schlüsseln wol bewart[11] – und sie wer
noch uffzuschließen –, dazjen[12], daz darin wär, miteinander
teilen und sich gütlich darüber vertragen. Daz namen die drei
Partheien also gütlichen an, und Ulenspiegel starb. Da nun alle
Ding nach Laut[13] des Testaments volbracht und die vier Wochen
verlouffen waren, da kam der Rat, der Kirchher und Ulenspie-
gels Fründ und offneten die Kist, seinen verlaßnen[14] Schatz zu
teilen. Als die nun geoffnet ward, da ward anders nit funden
dann Stein. Je einer sah den andern an und wurden zornig. Der
Pfarer meint, nachdem der Radt die Kist in Verwarung gehabt
het, sie hätten den Schatz heimlich daruß genumen und hätten
die Kist wider zugeschlagen. Der Rad meint, die Fründ hätten
den Schatz in seiner Kranckheit[15] genumen und die Kist mitt
Steinen wider beward.[16] Die Fründ meinten, die Pfaffen hätten
den Schatz heimlich hinweggetragen, als jederman ußgieng[17], da
Ulenspiegel beichtet. Also schieden sie in Unwilen voneinander.
Da wolt der Kirchher und der Radt Ulenspiegel wider ußgraben
lassen. Als sie nun begunden zu graben, da waz er gleich faul[18]

daz niemans bei ihm bleiben mocht. Da machten sie daz grab
wider zu. Also bleib er ligen in seinem Grab, und ihm ward zu
Gedächtniß ein Stein uff sein Grab gsetzt als man noch sicht.[19]

1 Mollen: *Mölln* 2 je: *immer* 3 Bescheid: *Auflage* 4 uber ihn gebüt
und von Todts wegen abstünd: *ihn zu sich gebiete und er durch den Tod
abberufen werde* 5 gweicht: *geweiht* 6 begon: *feiern* 7 Vigilen: *Toten-
feiern* 8 einhellich: *einmütig* 9 schon: *schöne* 10 kostlichen: *kostbaren*
11 wol bewart: *gut behütet* 12 dazjen: *dasjenige* 13 Laut: *Wortlaut*
14 verlaßnen: *hinterlassenen* 15 in seiner Kranckheit: *während Eulen-
spiegel krank gewesen war* 16 beward: *gefüllt* 17 ußgieng: *hinausging*
18 waz er gleich faul: *roch er derart nach Fäulnis* 19 sicht: *sieht*

Johannes Pauli
Schimpf und Ernst

(1522)

Friede vor Schaden
Frid vor dem Schaden

Man zoch uff einmal uß in einen Krieg mit grosen Büchsen und
mit vil Geweren, wie dan Sit ist. Da stünd ein Nar da und fragt,
was Lebens das wer.[1] Man sprach: »Man zücht in die Reiß.«[2] Der
Nar sprach: »Was thuot man in der Reiß?« Man sprach: »Man
verbrent Dörffer und gewint Stet[3] und verderbt Wein und Korn,
und schlagen einander zuo Dot.« Der Nar sprach: »Warumb
geschicht das?« Man sprach: »Das man Friden mach.« Da sprach
der Nar: »Es wer besser, man macht vorhin Friden, damit
semlicher[4] Schaden vermitten[5] blib. Darumb so bin ich witzi-
ger[6], dan euwer Herren sein, wan es mir befolhen wer, so wolt
ich vor dem Schaden Friden machen und nit darnach, so der
Schaden geschehen ist.«

1 was Lebens das wer: *was das für ein Treiben wäre* 2 Man zücht in die
Reiß: *Man bricht zum Kriegszug auf* 3 gewint Stet: *erobert Städte* 4 sem-
licher: *aller* 5 vermitten: *vermieden* 6 witziger: *klüger*

Ein Bauer sucht zweihundert Eier in einem Huhn
Ein Bauer suocht zweihundert Eyer in eim Huon

Man lißt von einem Buren, der billich ein Nar sol gezelt sein[1],
der het ein Hennen, die legt im alle Tag ein Ey. Der Buer
gedacht: »Sie hat freilich einhundert oder zwei in ir, hettestu[2] sie
alle einsmals[3], so möchtestu etwas mit schaffen, ein Ey mag dir
nit erschiessen. Du wilt sie erstechen.« Er dötet sie und thet sie
uff und fand nichts in ir. Also verlur er das Huon und die Eyer.

Also geschicht den Geitigen auch, die bald reich wöllen werden, einer wil etwan[4] zuo vil, so würd im zuo wenig, und dergleichen.

1 billich ein Nar sol gezelt sein: *zu Recht für einen Narren gehalten wird* 2 hettestu: *hättest du* 3 einsmals: *auf einmal* 4 etwan: *zuweilen*

Einer sieht doppelt
Einer sach einen für zwen an

Also was auch ein anderer Man dem schier gleich, der auch mit seinem Schaden witzig ward und zuo Friden kam mit seiner Hußfrawen. Es was ein Man, wan er truncken ward und heimkam, und was er in dem Huß sahe, so ducht[1] in, es wer zweiffaltig.[2] Uff einmal kam er und was vol Weins, da saß sein Frau und span und het ein Licht uffgezünt. Da sprach der Mann: »Hastu nit gnuog mit einem Liecht, muost du zwei Liechter uffstecken?« Die Frau sprach: »Ich hab doch nit me dan ein Liecht. Wiltu mich blint machen?« Uff ein andermal kam er aber, und lieff ir Kneblin, das sie hetten, in die Stuben. Der Man sprach: »Wem ist das ander Kind, das da laufft?« Die Fraw sprach: »Es ist nit me dann unser Kind da.«

Es begab sich uff ein Sontag, das er zuo Abent gezert het, und kam heim, da man zuo Nacht essen wolt, und gieng in die Küchin, da stuond der Haffen mit Fleisch bei dem Feuer, und sprach: »Wir wöllen wolleben. Was hastu in dem andern Haffen? Ich sihe wol zwen Heffen da ston.« Da sprach die Frau: »Ich hab ein guot verdempft[3] Huon. Wolan ich wil einen Haffen nemen, und nim du den andern!« Die Frau greiff nach dem rechten Haffen, und der Man greiff nach dem andern und fiel mit den Henden in das Feuer und verbrent die Hend fast übel.[4] Darnach wolt er nit me zwei Ding für eins ansehen und het Frid mit seiner Frawen.

1 ducht: *deuchte* 2 zweiffaltig: *doppelt* 3 verdempft: *gegart* 4 fast übel: *sehr schlimm*

Der Koch verlangt einen Esel vom Herrn
Der Koch begert ein Esel von dem Herren

Der Hertzog von Meiland het im ein Koch, der het im lang trüwlich gedient und gekocht für seinen Mund. Er beruofft den Koch uff einmal und sprach zuo im: »Lieber Meister, ir haben mir trülich gedient ein Zeitlang. Begeren etwas von mir! Was ihr wöllen, das wil ich euch geben.« Er sprach: »Ich beger nichtz anders, dan das ir mich zuo einem Esel oder zuo einem Narren machen.« Der Fürst sprach: »Warumb?« Der Koch sprach: »Darumb. Die Esel und Narren sein euch so lieb, die erhöhen ir und machen sie zu grosen Herren. Wan ich auch also einer wer, so wer ich euch auch lieb.«

Wie einer vom Fieber, aber nicht vom Durst erlöst werden wollte
Von dem Feber wolt einer entlediget werden, aber
von dem Durst nit

Es war einer, der het das Feber, das[1] er von Hitz wegen vil tranck. Es kam einer zuo im, der sprach: »Fründ, wilt du, ich wil dich wol gesund machen.« Er sprach: »Her, ich beger, das ir mich gesundt machen von dem Feber. Aber den Durst sollen ir mir nit vertreiben, dan es thuot mir wol, wan es also kalt hinynlaufft.«

1 das: *so daß*

Ein Wirt verschüttet viel Wein
Ein Wirt verschütt vil Wein

Uf einmal waß ein Wirt, der verschüt etwan[1] dick[2] den Gesten ein Maß Wein ob dem Tisch in das Tischduoch und thuot dan das Tischduoch zuosamen und schrei dan: »Hier wöllen wir weschen.« Das thet er darumb, das er vil Weins vertribe.[3] Das verstuond ein guot Gesel und zohe[4] ein Zapffen uß einem Faß und ließ im den Wein uß. Sie kamen an das Recht.[5] Diser sagt, wie des Wirtz Gewonheit was und sprach: »Er het ob dem Tisch wöllen weschen, so hab ich in dem Keller wöllen weschen.« Also het der Wirt den Spot zuo dem Schaden.

1 etwan: *zuweilen* 2 dick: *übermäßig* 3 vertribe: *umsetze* 4 zohe: *zog*
5 Sie kamen an das Recht: *Es kam zur Gerichtsverhandlung*

Wie Bauern einen lebendigen Gott haben wollten
Bauren wolten einen lebendigen Got haben

Uf einmal kamen drei Buren zuo einem Maler und hetten gern ein Crucifix, ein Got an dem Crütz uff dem Kirchoff gehebt. Und da er verdingt was wol für 16 Guldin, da sprach der Maler: »Wöllen ir einen lebendigen oder einen dotten Got haben?« Sie sprachen: »Wir wöllen zuo Rat werden«, und tratten neben ab.[1] Und da der Rat uß was, da sprach einer: »Lieber Meister, wir wöllen einen lebendigen Got haben. Gefelt er den Buren nit, so künnen wir in selber wol zuo Dot schlagen.«

1 tratten neben ab: *traten abseits*

Wie eine Jesus nicht zur Ehe haben wollte
Jesum wolt eine nit zuo der Ee

Es was ein frumme Witfrau, die wolt kein Man me nemen dan den Heren Jesum, kam zuo Sant Peter, bat ihn, das er ein Mitler wer, das er sie nem. Sant Peter det es und sprach: »Die Sach ist richtig. Rüst das Mal zuo in 14 Tagen! So solt du Hochzeit halten.« Sie was fro. Nun hett sie vil Schuldner und wolt ihr Schuld ynziehen[1], und zuo welchem sie kam, der sprach: »Liebe Frau, ich hab jetz kein Gelt. Wan mich aber Got berat, so wil ich

üch auch geben.« Die Frau kam wider zuo Sant Peter und sprach:
»Sag dem Herren Jesu ab! Ich wil in nit zuo der Ee. Er ist den
Leuten so viel schuldig, ich vermöcht nit im sein Schuld zuo
bezalen.« Also ward nüt daruß.

1 ynziehen: *eintreiben*

Von einer frommen Ehefrau
Ein Efrau ward bewert frum

Es was ein Man, dem ward gesagt, das sein Frau buolte.[1] Er wolt
es nit glauben, er wolt es selber erfaren und sein Frawen bewe-
ren. Nam sich an uff ein Tag an dem Morgen, er wolt in dem
Schiff hinwegfaren und würd in dreien Tagen nit widerumb
kumen. Und in dem Tag da luod si ire Buolen[2] und zarten[3] bei
einander. Und da es Nacht ward, da beruofft sie aber ein. Und in
der Nacht da kam der Eeman und klopfft an dem Huß unsüber-
lich an. Die Frau stieß den Kopff zuo dem Fenster hinuß und
fragt, wer da wer. Er antwurt: »Dein Eeman ist da. Hörstu nit,
das ich es bin?« Sie sprach: »Mein Man ist hüt in dem Schiff
hinweggefaren. Du bist etwan ein Buob. Woltestu mich betrie-
gen und mich frume Frawen schenden? Es kumpt kein Man in
mein Huß, biß mein Eeman widerumb kumpt.« Also muost der
Eeman vor dem Huß bleiben, und was der Buol darin. Da wüßt
der Eeman jetz, wie frum sein Eefrau wer.

1 buolte: *fremdging*   2 Buolen: *Geliebten*   3 zarten: *Liebhaber*

Georg Wickram
Das Rollwagenbüchlein

(1555)

Von einem Schneider, dem seine Frau Fladen für Faden kauft
Von einem schneider, dem sein frauw fladen[1] für faden
kaufft

Ein alter karger[2] schneider hat ein schöne junge fraw, deren er
zuo keiner zeit ein schleck[3] vergundt. Und auff ein zeit gab er ir
gelt, sy solt faden kauffen; es war eben nach osteren, daß man die
guoten warmen eyerfladen feil hat. Unnd als das guot jung weib
für die guoten neüwgebachnen fladen hingieng und sie iren also
wol in die nasen ruchen, kam sy ein solcher grosser glust an, also
daß sy ir nit kundt abbrechen[4], unnd kaufft umb das gelt fladen
und truog sy zuo hauß. Der mann ward zornig und sagt: »Ich
hab dich geheissen faden kauffen.« Und fluocht ir übel. Die guot
fraw sprach: »Ach mein lieber haußwirt, nit zürne so seer! Es
laut fast gleich faden und fladen; ich habs fürwar überhoert.« Der
mann schweig still und ließ es also hingon unnd kaufft im selbs[5]
faden.

Es stuond also an biß umb den herpst, daß der mann aber zuo
schaffen hat und gab seiner frawen gelt, sy solt im zwirn kauffen.
Die frauw kam auff den marckt; da waren die schönsten biren[6]
feil, daß sy nit mocht fürgon[7] und kaufft umb das gelt biren.
Und als sy die heimbracht, ward der mann aber zornig unnd
sprach: »Ich hab dich nit geheissen biren, sunder zwirn kauffen.«
Die frauw sprach: »Lieber haußwirt, ich hab fürwar verstanden
biren.« Der mann gedacht in im selbs:[8] »Zwirn birn, zwirn birn,
es laut schier gleich«, und ließ es aber also hingon.

Es stuond an biß umb sant Martinstag, do schickt er das weib
aber auß nätz[9] kauffen. Die frauw gedacht: »Du hast dein mann
zwey mal genärrt; was sich zweyet, das drittet sich gern«[10], und
kaufft ein ganß. Und do sy die ganß zuo hauß bracht, verwun-
dert sich der mann und sprach: »Fraw, hab ich dich nit geheissen

nätz kauffen?« Die fraw sprach: »Ich habs fürwar überhört. Laut es nit fast gleich?« Der Mann sprach: »Nein, liebe haußfraw; ich muoß dir di oren aufthuon, auff daß du nicht gar daub werdest.« Und erwüscht ein guot schwär ellenmeß[11], schluog es iren umb den kopff und sprach zuo eim yeden steich ein wort: »Faden, fladen, zwirn, birn, nätz, ganß« etc. unnd treib das so lang, biß daß die fraw mordio schruw und sagt: »O hör auf, lieber mann! Die oren sind mir nunmer wol dünn worden; ich wil nümmern mißhören.« Also, was er ir darnach befalch[12] zuo kauffen, richt sy fleissig auß und ward nümmen irr in den nammen.

1 fladen: *Kuchen*   2 karger: *geiziger*   3 schleck: *Leckerbissen*   4 abbre-chen: *beenden, unterdrücken*   5 im selbs: *sich selbst*   6 biren: *Birnen*   7 fürgon: *vorübergehen*   8 in im selbs: *bei sich*   9 nätz: *Nähfaden*   10 was sich zweyet, das drittet sich gern: *was zweimal gut geht, geht auch ein drittes Mal*   11 ellenmeß: *hölzernes Ellenmaß*   12 befalch: *befahl*

Von einem Landfahrer, der den Kürschnern Hundsthonier
für Katzenthonier verkaufte
Von einem landfarer, der hundsthonier[1] für katzethonier
den kürßneren verkauffet

Vor zeiten, als man noch in aller welt paternoster[2] truoge und die katzethonier in hochem wert gehalten wurden, daß etlich krämer unnd landfarer im land umbherzogen unnd mit den katzethonier haussierten (das ist von hauß zuo hauß luogten wo sy möchten gelt bekommen), also war auch ein guot gesell, (ich acht, daß er auch zuo Ryblingen[3] gewesen war, wie man dann auch wol schamper[4] knaben under den landfarern findt) der kam gen Harlem in Holand. Als er schier die gantz statt außgehausiert hette und aber wenig gelt gelößt[5], hört er an den gassen unge-ferd[6] im fürgan in einem hauß ein groß geschrey und jubilieren, gedacht: »Hie hinein muoßt; es wirt etwas geben.«

Er tritt herein und fragt einen auftrager[7], was das für leüt weren. Welcher antwortet: »Das ist der kürßner trinckhauß, und

sind allhie versamlet weib und mann, die gantze zunfft, wie dann
ir brauch ist, daß sy zum jar einmal oder dreyssig[8] bey einander
guoter dingen sind und hie zuosamenkommen.« So das der
krämer hort, gedacht er, wurde nit vil schaffen und were gern
mit fuog wider hinaußgewest, wußt aber nit wie. Also nam er
sich an[9], er were ein hofierer[10]; dann er auch meistergesang
kundt, das seer beyn kürßneren im brauch ist. Wie er nun ein lied
oder zwey gesungen hett, zohen sy in zum tisch, daß er bey inen
seß und mittzechte. Do er nun auch ein trunck überkam, hett
auch gern gelt gelößt, forcht doch, wo er vil von katzethoniern
sagt, sy wurden in die stegen[11] abwerffen, und fiel im ein, er
wölt die stein hundtzethonier heissen. Zoch sein kram herfür
unnd zeiget inen schöne paternoster von katzethonier und
sprach: »Lieben herren, wer kaufft schöne hundtzethonier?«
Unnd gefielen inen so wol, daß er etwan vil verkaufft; und
macht sich mit dem gelt darvon, dancket gott, daß die kürßner
nit fast fragten, was hundtzethonier weren und er ungeschlagen
darvon kam.

1 hundsthonier: *Wortspiel mit der Verballhornung ›katzethonier‹, dem volks-
tümlichen Ausdruck für den Halbedelstein Chalzedon* 2 paternoster: *eine
edelsteinbesetzte Halskette* 3 Ryblingen: *fingierter Ortsname* 4 schamper:
unverschämt 5 gelößt: *verdient* 6 ungeferd: *zufällig* 7 auftrager: *Kell-
ner* 8 einmal oder dreyssig: *einige Male* 9 nam er sich an: *verstellte er
sich* 10 hofierer: *Spielmann* 11 stegen: *Treppe*

Von einem Mönch, der einer Tochter einen Dorn aus dem Fuß zog
Von einem münch, der einer tochter ein dorn
auß dem fuoß zog

Ein barfüssermünch gienge auff der termeney[1], umb käß unnd
eyer zuo samlen; der hat in einem dorff sunderlichs[2] vertrauwen
bey einer alten reichen beürin; sy gab im allweg mer dann einem
andern münch. Auff ein zeit kam er aber, käß zuo bättlen; und
als sy im ein käß und die ostereyer geben hett, fragt er: »Muoter,

wo ist euwer tochter Gredt, daß[3] ich sy nit sihe?« Die muoter antwortet: »Ach, sy ligt daoben im bett unnd ist gar schwach; sie hat inn ein torn[4] getretten, darvon ir der fuoß seer groß gschwollen ist. Der münch sprach: »Ich muoß sy gon besehen, ob ich ir helffen künte.« Die muoter sagt: »Ja, lieber herr Thilman, so will ich eüch dieweil ein suppen machen.«

Der münch kam zuo der tochter und begriff ir den fuoß mit dem dorn, darvon sich die tochter ein wenig übel gehuobe[5]; aber die muoter meint, der münch arbeyt sich also an dem dorn unnd schreye der dochter zuo: »Leid dich[6], mein liebs kind! So wirt dir geholffen.« Alß aber der münch fertig war, zohe er die stiegen wider herab, nam sein sack unnd macht sich zuom hauß auß. Die muoter sprach: »Essend vor die supp!« Der münch sprach: »Nein, es ist heüt mein fasttag.« Dann er dacht wol, es wär nit lang mist da zuo machen[7].

Und alß die muoter zuo der tochter kam, befand sie, daß er anders mit ir gehandlet hett, dann den dorn betraff, und nam ein guoten bengel[8] unnd wartet, wann der münch auff der andern seyten deß dorffs wider herauffkem. Und alß sy in sahe kummen, nam sie den bengel, huob in an iren rucken unnd in die ander hand ein käß und ruofft dem münch: »Herr Thillman, kumbt här, nembt noch ein käß!« Aber der münch marckt den bossen[9] und sprach: »Nein, muoter, es wär zuo vil. Es ist nit der brauch, man gibt nicht zweymal vor einer thür.« Also treüwet[10] im die beürin mit dem bengel unnd sprach: »Münch, das loß dir guot sein, das du nit für mein thür bist kommen! Ich wolt dir sunst deß dorns han geben.«

Also drolt sich der münch darvon und kam nit mer in das dorff, käß zuo samlen; dann er gedacht wol, die muoter wurd es im nit vergessen.

---

1 gienge auff der termeney: *war auf Betteltour im Bezirk seines Klosters unterwegs* 2 sunderlichs: *besonders* 3 daß: *weil* 4 torn: *Dorn* 5 übel gehuobe: *jammerte* 6 Leid dich: *Halte aus* 7 nit lang mist da zuo machen: *nicht lange zu verweilen* 8 bengel: *Prügel* 9 bossen: *derben Streich* 10 treüwet: *getraut*

*Von einem, der einen Fürsprecher damit überlistete, was ihm
der Fürsprecher selbst beigebracht hatte*
Von einem, der ein fürsprechen[1] überlistet, und hatt
in der fürsprech das selbs gelert

Einer ward vor dem gericht umb ein sach angesprochen, des er
sich wol versach, er wurde on gelt nicht darvonkomen. Das
klagt er einem fürsprechen oder redner; der sprach zuo im: »Ich
will dir zuosagen auß der sach zuo helffen unnd on allen kosten
und schaden darvonbringen, so ferne du mir wilt vier gulden zuo
lon für mein arbeit geben.« Diser war zuofriden und versprach
im, die vier gulden, so verne er im auß der sach hulffe, zuo
geben. Also gab er im den radt, wann er mit im für das gericht
keme, so solt er kein ander antwort geben, god geb, was man in
fragt oder schalt, dann das einig wort »blee«.
    Do sie nun für das gericht kamen, unnd vil auff disen geklagt
ward, kunt man kein ander wort auß im bringen dann blee. Also
lachten die herren und sagten zuo seinem fürsprechen: »Was wölt
ir von seinetwegen antworten?« Sprach der fürsprech: »Ich kan
nichts für in reden; dann er ist ein narr und kan mich auch nichts
berichten, das ich reden sol. Es ist nichts mit im anzuofahen; er
sol billich[2] für ein narren gehalten und ledig gelassen werden.«
Also wurden die herrn zuo rath und liessen in ledig.[3]
    Darnach hiesch im[4] der fürsprech die vier gulden. Do sprach
diser: »Blee.« Der fürsprech sprach: »Du wirst mir das nit
abblehen; ich will mein gelt haben«, unnd bot im für das gericht.
Und als sie beide vor dem gericht stunden, sagt diser alweg:
»Blee.« Do sprachen die herrn zum fürsprechen: »Was macht ir
mit dem narren? Wist ir nit, das er nit reden kan?« Also muost
der redner das wort blee für seine vier gulden zuo lon han, und
traff untrew[5] iren eygen herrn.

1 fürsprechen: *Rechtsanwalt* 2 billich: *zu Recht* 3 ledig: *frei* 4 hiesch
im: *forderte von ihm* 5 untrew: *betrügerische Abmachung*

Von einem Pfaffen, der den Herrgott hinten sich wehren ließ

Von einem pfaffen, der spricht: »Herr gott, weer[1] du dich dahinden! Ich wil mich dafornen weeren. «

An der Meylander schlacht[2] bey den Schweytzeren ist gewesen ein pfaff mit nammen[3] Joß Haß; dann sy im brauch haben[4], so sy zuo feld[5] ziehen, mit inen allzeit ein pfaffen zuo nemmen. Diser, so man an die schlacht gan solt, bindet seinen liderin sack[6], darinn er die herrgott[7] hat, dahinden auff sein rucken und spricht: »Herrgott, weer du dich dahinden! Ich wil mich tapffer davornen weeren.« Und kumpt auch also von der schlacht ungeschlagen.[8]

1 weer: *wehre* 2 Meylander schlacht: *Schlacht bei Marignano 1515?* 3 mit nammen: *namens* 4 dann sy im brauch haben: *denn bei ihnen ist es üblich* 5 zuo feld: *in den Krieg* 6 liderin sack: *Ledertornister* 7 die herrgott: *Herrgottsbilder* 8 ungeschlagen: *unversehrt*

Jakob Frey
Die Gartengesellschaft

(1556)

Ein Landsknecht teilt mit einem Mönch
Ein landsknecht theilt mit einem münch

Im Gülcher[1] land zohe ein armer landsknecht daher über das feld
und hette nit überäntzige[2] kleider an. Dem begegnet ein alter
barfuosser münch, der truog vil thuochs, ime und seinen brü-
dern zuo kutten und sunst kleidern.

Der landsknecht sprach ine an und sagt: »Herr, theilen wir nit
mit einander? Ihr brauchen das thuoch nit alles samen, so hond ir
auch noch ein gute feißte[3] kutten an; ich aber binn nackend unnd
bloß. Darumb ist hie kein anders, wir müssendt das thuoch mit
einander theilen.« Der münch sagt: »Lieber gesell, zeuch[4] du
dein straß! Ich binn ein geistliche person, unnd laß mich zuo
friden; ich gib dir nichts.«

»Wie, münch«, spricht der lantzknecht, »woltestu ein geist-
lich man sein unnd wolst den nackenden nit kleiden, unnd hast
so vil überigs thuochs? Woltestu dich den teufel[5] also verfüren
lassen, das du den befelch gottes übertretten soltest, den nacken-
den zuo kleiden? Da sey got vor. Du solt meinthalben nit zuom
teufel farenn.« Inn dem erwüst[6] er das thuoch und sagt zuo
dem münch: »Ich bedarf nit mehr als drey elen; das überig behalt
du.«

Der münch kunt ihm nit widerstehn. Der landsknecht nam
das thuoch, thet es von einander unnd masse mit seinem halben
spieß drey elen davon (es were zuo Franckfort wol 16 elen
gewesen), wicklet das zuosamen, zeucht mit darvon. Der münch
was traurig, raspelt[7] das ander thuoch auch zuosamen, schreye
im nach und sprach: »Du verloffner buob, du muost mir das
thuoch am jüngsten tag bezalen und gott dem allmechtigen
antwort darumb geben. Des solt du dich zuo mir versehen.

Der landsknecht wendt sich um und geth zuo dem münch und

sagt: »So du mir also ein lang geraumpt zyl zuo der bezalung bitz an jüngsten tag setzest, so will ich eben das überig thuoch darzuo nemen; es kumpt doch alles inn ein rechnung, verantwortung unnd bezalung. Und, münch, zeichne du es daheim fleissig uff! Ich möcht leiden, ich hette das closter mit einander uff dise zyl satzung.«

Also nam er im das ander thuoch auch unnd zohe darvon, liesse dem münch das nachsehen.

---

1 Gülcher: *Jülicher* 2 überäntzige: *überflüssige* 3 feißte: *dicke* 4 zeuch: *ziehe* 5 Woltestu du dich den teufel: *Wolltest du dich vom Teufel* 6 erwüst: *erwischt* 7 raspelt: *raffte*

Von einem Buhler, der seine Buhlin am Arsch küßt
Von einem buoler, der seinen buolen[1] für den arß küßt

Ein junger student was zuo Ingoltstatt, der gewann eins reichenn herren magt fast[2] lieb, gieng tag und nacht für das hauß uff unnd ab, schreib ir brieflin unnd gab ihr auch andere wortzeichen seiner lieb, damit er vermeint, er wer auch von ihr lieb gehabt. Eins mals hort er sie nächtlicher weil[3] herniden[4] inn ihrs herren haus am wasserstein[5] bey eim fenster singen und schüßlen wäschen. Der cuculus[6] kam auch, stund auswendig[7] für das wasserstein loch und sagt: »O du hertzes lieb, ich binn dir so lang nachgangen, das ich gern etwas heimlichs mit dir gredt het, wie du selbs gedencken kanst. Ich hab dir zuo gefallen vil gelts verthon; nuon es hilfft, sihe ich wol, alles nit. So will ich dich doch ein ding bitten; beut[8] mir deinenn schönen roten mundt zuo dem fenster heraus und laß mich dich nuor ein mal küssen, so will ich darnach vernügen haben und ablassen.« – »Wann du darnach müssig gehn wilt«[9], sagt die magt, »so wil ichs thuon; es muoß aber heimlich zuogehn.« Der narr sagts ir zuo. Sie was ihm zuo gescheid, steig uff den wasserstein, huob sich hinden uff, bot ihm das gewölb zum fenster hinaus. Da es also weiß war, da meint er nit anders (dann es was finster), es wer das angesicht, und vor grosser lieb und ynbrünstigkeit wüscht[10] er herbey und küßt sie ein mal oder zehen. Am letsten thet er ein mißgriff und was schier mit der nasen in die kerb gewüscht und in den selben graben gefallen. Weyl aber one das[11] solch ort seinen geschmack hat wie ein viol[12], da meint er, sie het das maul uffgethon und het nit ein guot kemmat[13], hort uff zuo küssen und sagt: »Botz erdtreich, da merck ich erst, das du ein stincken-den athem hast. Nein, nein, ich küß dich nit mehr.« Und gieng heim, da gewann die liebe auch ein end.

Diser magt arß was dazuomal heylthumb worden; der student het schier ein halbe stund daran geküßt und geleckt.

1 buolen: *Geliebten*   2 fast: *sehr*   3 weil: *Zeit*   4 herniden: *unten* 5 wasserstein: *Ausguß*   6 cuculus: *Kuckuck, Narr*   7 auswendig: *außen* 8 beut: *biete*   9 müssig gehn wilt: *ohne weiter tätig zu sein gehen wirst* 10 wüscht: *huscht*   11 one das: *ohnedies*   12 viol: *Veilchen*   13 Kemmat: *Kaminabzug (spöttisch gemeint)*

Von nächtlichen Geistern
Von nachtfertigen[1] geisten

Uff der pfarren zuo Langen Detzlingen im Breißgaw da saß ein junger herr vor zeiten, was erst unlangs von Freiburg kommen, der macht kundtschafft[2] mit eins schuomachers frawen im dorff. Sie zwey beschlossen mit einander, wenn er nachts kem und die thür uffgethon het (dann er het ein schlüssel darzuo), so solt er ein groß wesen[3] im hauß machen und frey zuo ihr in die kamer gehn, die thür ein mal, drey oder vier auffthuon unnd wider zuoschlagen, so würde yederman meinen, es wer ein geist, und sich niemandt in den bethen regen dörffen, damit werend sie zuo friden.

Die sach ward also beschlossen. Der frumb alt schuomacher lag in einem stüblin neben der kammer, das er sein ruohe allein

202

hett, und ließ die fraw auch in der kammer allein ligen. Nuon es was etliche nächt also ein grosses gebossel[4], werffen, schlagen und stossen in dem hauß, an des mans stubenthür, demnach an der frawen kammer, das jederman schier im hauß verzagt was. Damit was der zuogang des pfarrers und das nächtlich distilieren[5] dester sicherer. Morgens, wann er wider auß hien gieng, so was es wider also ein leben im hauß. Wolan, das gsind wolt nit mehr im hauß ligen, der alt ette[6] wer auch schier verzagt. Das geschrey was im gantzen dorff; niemand wist, wie dem geist zuo zuokommen wer.

Der Mann nam ein mal das hertz in beyde händ, thet sich in ein harnasch an, nam ein hallenbart[7] in die hand unnd wartet des geists, stellet sich doch oben an ein steg, aber nit am rechten ort, da der geist her kame. Als es umb zwölff uren warde, der geist kame hinden zuom garten hienein, gienge daselbst hienuff ins hauß und het nichts anders an dann seine kleider on[8] ein larven mit einer wunderbarlichen langen nasen vor dem angesicht. Der mann stund an der stegen. Der pfarrherr kumpt oben her, schluog und warff. Dem mann ward das hembd under dem harnisch heiß. Wie er den geist bey einem dunckeln monschein erblickt, spricht er: »Pfey dich teufel, wie sichstu unserm pfarrherr so gleich, wo du nit also ein lange schwartze naß hettest!« Der pfarrherr geht gegen ihm mit der nasen; der guot mann will weichen und felt hinder sich die stegen hinab. Er schreyt umb sich, der pfaff in die kammer.

Die fraw nam ein liecht, luogt, wo der mann mit dem zinnin[9] geschirr hien gerosselt was, hüb ihn uff, fürt ihn schlaffen und sagt: »Ich hab dir doch allwegen gesagt, laß den teuffel das sein schaffen, leg du dich schlaffen! Es ist nicht guot mit den geisten zuo schimpffen oder umbzuogehn. « – »Ja«, sagt der mann, »hett ich ihn nit so grüntlich wol gesehen, so solt er mir ein argwohn gegen unserm pfarrherrn gemacht haben. In alle weg ist er unserem pfarrer gleich, weder er hatt ein schwartz antlitz und ein unbilliche lange naß, das ich gedenck, es ist etwan ein pfaff, der vor langen jaren tod ist gewesen. Auch verstellen sich die geist wunderbarlich. «

Also blib der mann inn seim beth, suocht den geist nit mehr, und hett die fraw und der pfarrherr die nacht guot leben.

1 nachtfertigen: *nächtlichen*   2 kundtschafft: *Bekanntschaft*   3 groß wesen: *viel Lärm*   4 gebossel: *Gepolter*   5 distilieren: *Hinundherrennen*   6 ette: *Oheim*   7 hallenbart: *Hellebarde*   8 on: *und*   9 zinnin: *zinnernen*

Martin Montanus
Der andere Teil der Gartengesellschaft

(1557)

Ein Pfaffe gibt einem in der Beichte eine seltsame und
sonderbare Buße auf
Ein pfaff gibt eim inn der beycht ein seltzame und
wunderbarliche[1] buoss

Ein grosser buoler[2] beichtet eins mals einem pfaffen und sagt,
wie er vil eheweiber und junckfrawen geschwächt und geschendt
hette. Nuon ware der selbig beichtvatter nit vil frümmer dann
diser guot gesell; und wie er ein beichtvatter was, also gabe er
auch buoss, wie man dann solcher bauchvätter noch genüg findt.
In summa er gab ihme zuo buoss das er hienziehen solt und nach
dem aller ällisten[3] weib, so er in der gegend finden möcht,
fragen, und so er die erfragt hette, solt er sie so vil mal, als sie zän
im hals hette, überziehen; darnach solten ihm seine sünd verzi-
gen und vergeben sein.

Nuon wolan, der guot gesell zoge also darvon. Und als er
hienaus ungeforlich uff ein meyl von dem dorff, darinn er
gebeicht, kam, so findt er sehr ein altes müterlin in einem
krautgarten gehn. Er grüsst sie und sagt zuo ir: »Liebs müter-
lin, sagt mir, ob ihr ein ältere fraw, dann ihr sind, in diser
gegend wissen!« Sie gab ihm antwort und sagt: »Nein, warlich,
lieber suon, ich waiss in vier oder fünff meilen kein ältere, dann
ich binn.« – »Wolan«, sagt der jung, »so ist es eben recht.«
Fienge damit an und erzahlt ihr den gantzen handel, was nuon
zuo thuon wer. Als sie aber solches vernummen, sagt sie: »Da
behüt mich gott vor, das ich in meinen alten tagen solch böss
ding thuon wolt. Es hatt mich nuon mehr dann in dreissig jaren
nie kein mann berürt. O du böser folandt[4], ziehe nuor bald dein
strass! Dann hie solstu, ob gott will, nichts schaffen.« Der guot
gesell sprach: »Nuon wolhien, so ligen mein sünd alle uff euch.«
Und zoge hiemit darvon.

Ach gott, das guot müterlin gedacht: »Wie wilt ihm thün? Solte ich erst seine sünd zuo den meinen uff mich laden, es würde mir zuo schwer.« Bedacht sich kurtz, ruofft dem guoten gesellen widerumb unnd sagt, sie wolte sich recht umb gottes willen mit ihm leyden, damit ihm seine sünd verzigen würden. Da der gesell ihren guoten willen vernummen hett, legt er sie in den garten zuo werck, sahe ihr in den mundt, befande, das sie noch zwen zän im hals hette, fürt sie schnell zwey mal über Rhein und vermeinte hiemit seiner buoss ein genügen gethon haben.

Als er aber seinen abscheidt von dem müterlin genummen unnd ein theyl wegs von ihr kam, fienge das guot müterlin im mund hien unnd her an zuo greiffen, ob sie yergendt noch ein stümpflin von einem zan finden kündte, damit dem guoten gesellen seine sünd desto bass verzigen würden. Zuoletst nach langem suochen und greiffen findt sie noch ein kleins stücklin, ruofft dem gesellen und sagt: »Ach mein lieber gesell, grab mir das stücklin vollends heraus, damit dir deine sünd desto voll-kummenlicher verzigen werden!« Damit kuttenniert[5] sie der guot kerlin noch ein mal unnd thet seiner buoss ein fölliges vernügen[6], zoge hiemit sein strass.

Hiemit warde das sprichwort erfüllt, das alte schaff auch gern saltz lecken.

1 wunderbarliche: *sonderbare* 2 buoler: *Frauenheld* 3 ällisten: *ältesten*
4 folandt: *Teufel* 5 kuttenniert: *beschläft* 6 vernügen: *Genügen*

Ein Graf sagt, daß es ein Glück wäre, wenn einer
ein Kind bekäme
Ein graff sagt, es were glück, wann einer ein kind überkem

Ein reycher graff sass uff einer grafschafft, der het under ime etliche dörffer. Unnd uff ein zeit kam ein schultheis in einem dorff zuo im und het mit ime zuoreden von etlichen sachen, die

206

das dorff antraffen. Als aber der baur also beim graffen sas, kam des bauren knab unnd sagte, er solte eylents heim kummen; dann die fraw were kindts gelegen. »Ey«, sprach der baur, »wann will sie uff hören! Sie het im nuon gnuog thon.« – »Schweig, menlin«, sagt der graff, »es ist glück, wann einer kinder hat.« – »Ja, gnediger herr«, sagt der baur, »euer gnaden sagt wol darvon; ich hab dess glücks sovil, das ich schier nicht mer inn die schüssel darvor kan.« Des fieng der graf an zuolachen, schenckt dem bauren ein thaler unnd liess in hinziehen.

Martin Montanus
Wegkürzer

(1557)

Wie ein Wirt von zweien die Zeche begehrte, die sie ihm
vor 40000 Jahren schuldig geblieben waren
Die zech begeret ein wirth an[1] zwen, die sie vor 40000 jaren
schuldig blyben seind

Zwen gesellen kamen inn ein wirtshauß, darinn sie wolbekannt
waren, fiengen an zu zechen und guoter ding zu sein. Und als
man die zech macht, fiengen sie an und sagten zum wirt: »Herr
wirth, ir wißt wol, das man sagt, das die welt vor viertzig
tausent jaren gestanden sey wie yetzunder, und nach vergehung
der yetzigen welt werd die welt über viertzig tausent jar aber-
mals anfahen, da wir dann all wider zusamen kommen werden
und bey einander sein werden wie jetzund. Und dieweil wir aber
yetzund nicht wol gelt haben, bitten wir euch, ihr wöllet unns
biß auff dieselbig zeit warten; alßdann wöllen wir wider zu euch
kommen, bey euch zechen unnd ein zech mit der andern bezalen.
Darumb, das wir hie schuldig seind, schreybt uns an und, wenn
dieselbig zeit kompt, legt uns für! So wöllen wir euch bezalen. «
Der wirth aber ein schalckhafftig[2] mann ware, bald merckte,
das sie ihn umb die zech betriegen wolten, inen antwortet und
sprach: »Es ist war, lieben herrn, das die welt vor viertzig tausent
jaren wie jetzt gestanden ist und über viertzig tausent jar aber wie
yetzt stehn wirt, auch bey einander wie yetzt sein werden. Und
dieweil ihr vor viertzig tausent jaren auch in meinem hauß
gewesen seind und dieselbig zech auffgeschlagen, so geden-
ckendt, das ir mir nit auß der stuben weichent, so lang und vil
biß ir mir beide zech mit einander bezalt habent!‹ Ire röck zu
pfand name.
Was wolten die guoten gesellen thuon? Wolten sie ire röck
haben, muosten sie dem wirth die zwo yrten[3] geben oder on
rock zu hauß ziehen. Den wirt bezalten, heim zu hauß giengen

und kein wirth nicht mehr betriegen wolten. Also traffe untrew[4]
iren eygnen herren.

1 an: *von*   2 schalckhafftig: *gerissener*   3 yrten: *Zeche*   4 untrew: *Betrug*

*Ein Landsknecht lehrt einen Edelmann, was dieser ihm tun solle,
damit er nicht friere*
Ein lantzknecht lehret ein edelman, wie er im thuon solle,
das ine nit friere.

Auff ein zeyt ritt ein edelmann über feld, den auß dermassen[1],
wie wol er wol bekleidet was, frore; dann es hefftig schnye. Dem
begegnet ein armer zerrißner lantzknecht, welcher nichts umb
oder an hett dann ein alts fischer netz, das er villeicht kürtzlich
von einem fischer gartet[2] hat, unnd hat in dannocht nit gefroren.
   Als der edelmann der zerrißnen lantzknecht sahe, sich sehr
verwunderte, das er nicht erfrure, ine fragen ward, ob es ine nit
frure, dieweil er so gar nackend gieng, und frure ihne doch auff
dem roß, wiewol er wol kleydet were. »Wie?« sprach der
lantzknecht, »ist es dann kalt?« Thet also ein finger zum netz
hinnauß, zuckt den also bald wider zuo ihm und sprach:
»Hautsch, hautsch, ist es so kalt!«
   Des der junckherr wol sahe, ihne fragen ward: »Lieber, lehr
mich, wie du ihm thust, das dich nit friere! So will ich dir ein
kleyd schencken.« Der lantzknecht war sein wol zufriden[3]: unnd
wie er das kleyd hette, sagt er zum junckher: »Wolan, vester[4]
junckher, so ir wölt, das euch nicht friere, so legend all ewere
kleyder an! Dann ich all meine kleyder an habe; darumb mich
nicht freüret.« Zohe also darvon unnd hat mit seiner kunst[5] ein
kleid überkommen.[6]

1 auß dermassen: *über alle Maßen*   2 gartet: *erbettelt*   3 war sein wol
zufriden: *war damit wohl zufrieden*   4 vester: *braver*   5 kunst: *Geschick*
6 überkommen: *bekommen*

209

Michael Lindener
*Katzipori**

(1558)

Wie ein Bauer seiner Frau die Launen austreibt
Ein abgeribne mugk[1], von einem pawren seiner brawt
gerissen

Zu Schruditz war ein pawr, der het ein einfältiges frommes
weib, die plaget er sehr und hielt sie ubel, buohlet[2] auch fast[3] bey
irem leben[4] und kam offt voll und doll bey nacht heym unnd
jaget das weyb auß. Gott aber erhöret sie unnd nam sie zuo
seinen gnaden. Begab sich aber, daß der bawr widerumb heyrat
und eines andern pawrn tochter nam. Unnd wie die hochzeit
geschehen, das brawt[5] und bräutigamm zu betth giengen, unnd
die brawt schon imm betth lag, schry der bräutigamm seiner
knecht ainem, mit nammen Matz: »Matz, hörest du nit? Mätz-
lein!« Der knecht antwortet und spricht: »Was wölt ir, herr?«
Sagt der bawr: »Bring mir eylendts unnd bald ain schlegel
herauff!« Der knecht erschrickt und vermeynt, der bräwtigamm
wölle die brawt zu todt schlagen, und fraget den bawren, was er
mit dem schlegel thuon wölle. Saget der bawr: »Ich will in der
brawt nein schlahen«[6], dann der bawr war voller bossen und
kurtzweyl. Die brawt vernimpt solchen ernst und hebet an:
»Mein bräwtigamm, ir bedürfft kaines schlegels oder axt, bey-
hel[7], barten[8]: meines vattern knecht Jeckel ist yetzund gantzer
siben jar bey mir gelegen, hat nye nichts dergleichen gebraucht,
hat in[9] alle zeit mit der arschkerben hynein gestossen; ir dürfft
solche grosse mühe nit haben! seyt ohne sorge!« So ward der
bawr bezalet.

* Katzipori: *Zoten*
1 abgeribne mugk: *vertriebene Laune*   2 buohlet: *hurte*   3 fast: *tüchtig*
4 bey irem leben: *zu ihren Lebzeiten*   5 brawt: *Braut*   6 nein schlahen:
hineinschlagen   7 beyhel: *Beil*   8 Barten: *breites Beil*   9 in: *ihn*

Von einem unerhörten Betrug, den ein junges Mädchen
einem Mönch angetan hat

Ein unerhörter betrug, von einem jungen mägdelein
einem münche gethan

Ein junges mägdelein beichtet einsmals einem barfüsser mün-
nich[1], welche die aller hailigsten sein wöllen, und befindt sich
doch nit also in der that[2], wie dann ein nollbruoder[3] des ordens
sich übet unnd an tag gab, der ein bäurin umb ein par eyer und
käß stropurtzelte[4]; einem solchen hayligen vatter bekennete das
guote diernlein seine sünde. Wie aber der gotlose münch anhielte
unnd wolt alle haimligkait wissen, fraget sie auch, ob ir derglei-
chen nit träwmete, dann dieselbigen nichts destominder sünde
wären, die man im auch offenbaren müste und in keinen wege
verhalten, sprach sie: »Ja lieber herre, es hat mir wol etwas
vorlengst getraumbt, aber ich schäme mich, solchs zusagen.«
Der münch hielte an unnd wolt es wissen, dann er gab für, er
künde ir sonst keine absolution sprechen. Fienge das mägdlein
an: »Mein lieber herre, es hat mir geträumbt, wie das einer bey
mir gelegen sey unnd hab in[5] mir, mit urlawb[6] vor ewer haylig-
kait, hinein gethan.« Der münnich antworte: »Mein tochter, das
ist eben sovil als hettest du es mit der that verbracht, du muost
auch darumb büssen, als wäre es rechtschaffen geschehen.« Das
mädlein erschrickt unnd bitt den münch, das er das beste thuon
wölte, dann er gab für, sie müste gehn Rom oder sonst zuo
einem penitentzer[7], unnd saget, sie wölte im wol lohnen, ließ in
auch zwen guldin sehen. Dem münnich stanck das mawl nach
den goldgulden, und sprach: »Es ist war, mein tochter, wir
haben sovil gewallt[8] als der bapst oder ein penitentzer, derhalben
sant Franciscus eben so wol fünf wunden hat als Christus. Aber
mein tochter, wir dürffen kein gellt anrüren. Auff das du aber nit
so ferne und weyt ziehen dürffest, dann es yetzund unsicher auff
der strassen ist, so stecke sie mir allhie inn das löchlein.« Dann
der münch ein zerrissene kappen an het und imm lingken ermel
ein löchlein. Der münch sahe ubel[9], und das mädlein thet, als
steckte sie im die zwen goldgulden in den ermel, unnd bhielt sie

nicht destoweniger. Der münch absolviert sie geschwind wie der wind. Das mädlein wirt fro und wuscht[10] darvon. Wie nun das mädlein hinauß kompt, suchet der münch die goldtgulden in dem löchlein, findt sie aber nit und mercket den betrug, rüfft dem mädlein eylends wider zu rugk und sagt: »Sie seind nit drinnen, mein tochter.« Antwortet das mägdlein: »Ja mein herr, er ist mir auch nit drinnen geweßt, sonder hat mir allein also geträumet.« Gieng also das guotte töchterlein geabsolviert dar-von.

1 münich: *Mönch*   2 und befindt sich doch nit also in der that: *und so verhält es sich doch nicht in der Tat*   3 Nollbruoder: *Mitglied der religiösen Gemeinschaft der Nollarden oder Lollharden, abgeleitet von niederdeutsch ›lullen‹ = leise singen*   4 stropurtzelte: *beschlief*   5 in: *ihn*   6 urlawb: *Verlaub*   7 penitzentzer: *Beichtvater*   8 gewallt: *gewallfahrt*   9 ubel: *schlecht*   10 wuscht: *huschte*

Michael Lindener
Rastbüchlein

(1558)

Wie einer das Städtchen Gengenbach im Kinzigtal
niederbrennen wollte
Gengenbach, das stettlin imm Kintzgerthal[1], wolt
einer verbrennen

Auff ein zeit hetten die herren von Gengenbach, an der Kintzig
gelegen zu losen buoben umb seiner missethat willen mit ruot-
hen außstreichen[2] lassen; der inen noch für unnd für feind war
und in tröwet[3], das stettlin zuoverbrennen, wa es im möcht so
guot werden.[4] Und auff ain zeit hat er ein hafen mit fewr[5]
bekommen[6], der meynung[7], das er fewr in die statt legen wolt;
und uber die Kintzigbrugk mit dem fewr einhin zoge. Nun ist
aber der brauch in demselben stettlin, daß der wächter auf dem
thuren[8] oftmals in der nacht schreyet: »O ich sihe dich wol.« Der
eben zuo derselbigen zeyt auch hinauß luoget het und aber den
losen verwegenen buoben nicht gesehen het, sonder seiner allten
gewonhait nach sprach unnd schrey: »O ich sihe dich wol.« Als
solches der brenner hört, sprach: »Ey nu hole dich der teüffel,
das du mich gesehen hast!«, das fewr in die Kintzig warff und so
er besst mocht[9] flohe. Also stehet das stettlin noch auff disen tag,
so villeicht sonst etwan möcht verbrennt sein worden.

1 Kintzgerthal: *Kinzigtal*   2 mit ruothen außstreichen: *mit Ruten auspeit-*
schen   3 tröwet: *drohte*   4 wa es im möcht so guot werden: *wenn es ihm*
günstig schiene   5 fewr: *Feuer*   6 bekommen: *ergattern*   7 der meynung:
in der Absicht   8 thuren: *Turm*   9 so er besst mocht: *so gut er konnte*

Von einer Frau, die beim Pfaffen liegen muß, wenn sie schlottert
Ein fraw sagt, wann sie schlottert, müßt sie bey
dem pfaffen ligen

Ein pfaff in ainem dorff het grosse kundtschafft[1] in aines bawren
hawß inn seiner pfarr und auch der bäwrin zu lieb mehr inn das
hawß gieng, weder das[2] er die kinder lernet das vatter-unser
bäthen. Und ains tags als er den bawren abwesend wußt, er inn
sein hawß zuo der bäwrin gieng, die er eben fand ein muoß[3] oder
häbern-brey[4] zu essen; da er bald zuo ir saget: »Bäwrin, luog[5]
schütt[6] nit! du muost sonst bey mir ligen.« Als solches die
Bäwrin höret, schüttet sie den löffel vol muoß gar auff den tisch,
damit der pfaff ursach hab, sie weyter anzutasten. Und da der
pfaff sahe, waran es der frawen lag, sie bey dem armm nam und
auff das bettstatlin, so inn der stuben stuond, füret. Was er da mit
ir machet, waiß ich nit. Ich bin nit darbey gewesen. Nun saß
aber ain klaines büblin auff dem tisch, das mit der bäwrin muoß
gessen het und alle wort gehört hette, was der pfaff mit der
frauwen geredt, und auch wol sahe, was für seltzam abend-
thewr[7] mit ir imm betlein brauchet[8], aber sich, als das nichts
umb solche sach wust, nichts bekümmern ließ, sonder für sich
asse unnd eben luoget, das es nit schlottert, sonst müßt es auch
beym pfaffen ligen. In solchem der bäwrin mann kam, den aber
die bäwrin, eh er zum hawß kame, ersehen hette und den pfaffen
bald in stubenofen verstecket; und sie sich wider nydersetzet,
anfieng zu essen, zuo gleicher weyß, als wer sie nye auffgestan-
den. Und der bawr, der hungerig war, ain löffel name unnd
waydlich asse.[9] Nun das kindlin, das seines vatters auch ubel
forcht, zuo ime sagt: »Mein lieber vatter, luog, daß du nit
schlotterst, du muost sonst auch beym pfaffen ligen. Unnser
muotter hat geschlottert, da hat sie müssen beim pfaffen ligen.«
Als solches der mann höret, fraget er: »Wo ist der pfaff?« Dem
das knäblin bald antwort: »Er steckt imm kachelofen.« Die
frauwe, die wol wüßt, was ir mann für ein Cüntzlin[10] war, bald
herfür wischet[11] und sagt: »Lieber mann, thuo ime nichts! dann
er ist ain heilig mann. So solt du deine hände nicht in heyligem

bluot verunraynigen. Unnd wann du in schon zu todt schliegest, so müßtest du auch darumb sterben; wäre dir dann so wol geholffen? Aber wann du ye solche schmach, die er dir an mir bewisen hat, nicht willt ungerochen lassen, so duncket mich diß der besst rath, und ime auch kein grösseres boßhait thuon kanst, dann du nemest ime sein hütlin, das er ohn ein hütlin müßt haim gehn. Ey, wie wurden dann die leüth sein spotten, wann er ohn ein hütlin gieng!« Diser rath gefiele dem narrechten Jeckel[12] wol; für den ofen kam, den pfaffen hieß herauß gehen. Der pfaff so baider red in der stuben wol gehöret hette, unverzagt auß dem ofen kroche. Dem der bawr alßbald sein hütlin name und zuo im sprach: »Ziehet hin, mein herrlin! also soll man euch gesellen thuon, die ainem beym weybe ligen.« Nun der pfaff zoge ohne sein hütlin biß für die thür. Und wie er für die thür kam, sagt die fraw zuo dem bawren: »Keine grössere schalckhait[13] kündest ime yetzt thuon, weder wann im das hütlich nachwurffest, daß die leüt sehen, so wurden sie erst sein gar hefftig spotten.« Deß der Gulemayer[14] auch wol zu friden was, dem pfaffen sein hütlin nach zuo der thüren außwarff. Deß der guot erbar[15] herr wol zu friden was und sich hernacher ohn alle sorg bey der frawen fand[16], Gott gebe, sie het geschlottert oder nit.

1 het grosse kundtschafft in: *pflegte enge Beziehungen zu* 2 weder das: *als daß* 3 muoß: *Mus* 4 häbern-brey: *Haferbrei* 5 luog: *gib Acht* 6 schütt: *verschütte* 7 abendthewr: *Abenteuer* 8 brauchet: *vollbrachte* 9 waydlich asse: *tüchtig aß* 10 Cüntzlin: *kleiner Kunz, Dummkopf* 11 wischet: *flitzte* 12 narrechten Jeckel: *dummer Bauer* 13 schalckhait: *Bosheit* 14 Gulemayer: *Mistbauer* 15 erbar: *ehrbare* 16 sich... fand: *sich... einfand*

Eine Magd verklagt einen jungen Burschen vor der Königin
Ein magdt verklaget ein jungen gesellen vor der königin

Ein magdt oder jungkfraw (wie man ir dann yetzt vil findet) ein jungen gesellen vor der königin verklagt, wie er ir wider iren willen ir jungkfrawschafft oder magdthumb genommen hette. Deß der guot gesell leügnet unnd sprach, er sie gar nicht zwungen hette, sonder sie selbers willig darzuo gewesen wäre. Nun die königin, die auß solcher sach bald kommen wolt, ir ein schwert hieß bringen, welches sie außzog[1] und der maget das schwert in die händ gab; sie aber die schaid in den händen behielt und zuo der diernen sagt, sie solt das schwert einstecken. Aber die königin mit der schayden hin unnd her wagket[2] daß sie das schwert nicht kundt einstecken; und sie zuo der königin sprach: »Gnedigste frauwe, ich kan nit einstecken.« »Wolan«, sprach die königin, »hettest du dich auch also gewehret, wie der gesell zuo dir kommen, so het er dir dein jungkfrawschafft nit genommen. Darumb zeühe hin! der gesell ist dein ledig.[3]«

Wann man solchen schlepsecken[4] allen so thet, so wurden sie sich daran stossen und sich nicht so gleich undter einen strecken. Aber also maynen sie, wann sie ain frommen gesellen betriegen künden, so haben sie im recht gethan. Was aber hernach für guote ehe darauß werden, sihet man täglichs wol. Ein yegkliches hüte sich!

1 außzog: *aus der Scheide zog*   2 wagket: *wackelte*   3 ist dein ledig: *ist von deiner Anklage frei*   4 schleppsecken: *gebildet aus Schleppe und Sack, verächtlich für Frauen*

Valentin Schumann
Nachtbüchlein

(1559)

Von einem Edelmann, der seine Tochter keinem Mann geben
wollte, der nicht an einem Tag weiter mähen als sie brunzen
konnte
Ein fabel[1] von einem edelmann, der seiner tochter wolt kein
mann geben, er mähet dann weyter, weder sie kund
bruntzen[2], auff einen tag

Auff ein zeyt ein edelmann saß nicht weit von Kowerck, der hett
ein außdermassen schöne tochter; die het sehr vil heyrat[3], aber sie
wolt keinen haben, er kundt dann weyter auff ein tag mähen
oder grasen, wie mans dann nennet, dann sie bruntzen kündte.
Wann sie hett so enge[4], das sie schier ein gantze meyl bruntzet,
wann es weyter wer; wie man dann yetzt zu unsern zeyten auch
vil solcher junckfrauwen findet, die so enge haben, das einer
meinet, man künd kaum ein sawbörsten hinnein bringen; wann
mans bey dem liecht besicht, sein wol zwen oder drey kinds-
köpff herauß gefallen; das red ich nicht von den frommen
junckfrawen, sonder von solchen, die sollich[5] seind. Nun aber
understuond[6] sich mannicher edel[7], auch unedel, die junckfra-
wen zu bekommen. Wann dann einer einen tag hett gemähet, so
kam die tochter mit sampt dem vatter zu nacht, wans feyrabent
war, und bruntzt weit uber dz auß, das einer het den langen weg
gemeet. Darum so kundt sie keinen uberkommen.[8]
   Nun ward[9] aber ein seltzamer abentheürer, der understuondt
sich auch die junckfraw zu bekommen, gieng auch zu dem
edelman, sagt, er wolt auch umb sein tochter mehen. Da weyßt
er ihn auff eine wysen auff Bamberg zu. Nun thet der guot gesell
ein ding unnd nam mit ihm ein guote flaschen mit wein unnd ein
guot bratens, auch ein schüssel vol küchlein sampt einem gros-
sen weck, fienge an unnd mehet einen viereckten platz, setzt inn
ein jegkliche ecken ein richt[10], den weck, die flaschen, das

bratens und die küchlein, zoch sich darnach muotter nackend[11] auß. Nun kam die jungkfraw um den mittag auff die wisen zu spatzieren, sahe den mader[12] nackendt und sein zipfel an dem bauch; der begundte ihm zu wachsen, als die junckfraw vor seinen augen umbgienge. Das ward sie sehr verwundern, sprach: »Ey, mein lieber mann, was habt ihr da für ein dinglein? Wz ist es nur für ein thier?« Der mader sprach: »Junckfraw, es ist ein zeyger.« »Ey«, sprach sie, »das ist ein seltzamer zeyger. Ich hab nye kein sollichen zeyger gesehen. Lieber mader, was zeyget er?« Der mader wandt sich zu dem einen winckel, sprach: »Dort zeyget er, das ein flaschen vol wein stehe.« Die junckfraw lieff flux unnd fande es, wie er ir hatte gesagt, sprach: »Das ist ein feiner zeyger.« Inn dem so wendet er sich zu einem anderen winckel. Sprach die junckfraw: »Lieber mader, was zeyget er jetzt?« Antwortet er: »Dort inn yenem winckel, zeyget er, stehet ein schüssel vol küchlein.« Sie lieff aber unnd fande es. Deß lachet sie, unnd er wandte sich zur dritten unnd vierdten gleich wie vor. »Ey behüt mich gott«, sprach sie, »wie ist das so ein feiner zeyger!« unnd sprach zu dem mader: »Mein lieber mader, was ißt aber der zeyger? Ich sihe wol, das er ein maul hat.« Flux antwortet der mader: »Junckfraw, er ißt nichts dann zucker von ewrem bauch!« Da lieff sie heim und holet ein handvol zucker, sprach: »Lieber mader, da gebt ihm zu essen! Es ist wol so ein feiner zeiger.« Er nam den zucker und leget sie in das graß unnd strewet ir den zucker auff den bauch, leget sich oben darauff, ließ sein zeyger auff dem bauch umb krablen; die junckfraw meint, er esse also. Nun in dem kam der guotte zeyger baß hinab unnd fand, darein er dann kroch. Da sprach die junckfraw: »Ey, was suchet er dahinnen?« Antwort der mader: »Junckfraw, es ist ihm ein körnlein darein gefallen; dem sucht er so nach.« »O«, sprach die junckfraw, »laßt ihn nur waidlich[13] essen! Es hat mein vatter ein gantzen karren vol zucker; ich wil im den allen zu essen geben.« Da nun der guot gesell oder zeyger hette sein zucker-korn ertappet, kroch er wider herauß. Der mader leget sich wider an, als wolt er mähen, unnd die junckfraw gienge heym. Als es nun nacht ward, kam der vatter mit sampt der tochter, sahe, was sein mader gemehet hette, daucht in nit vil sein, sprach: »Nun, tochter, kanst du darüber bruntzen, so fahe an!« Die guot tochter meint, sie wolt darüber bruntzen, ubersach es und bruntzet auff die schuoch. Das war der mader lachen und sprach: »Junckherr, hab ich die tochter gewunnen?« Deß warde der edelmann zornig, doch gab er im die tochter.

Also ward auß einem bauren ein edelmann. Aber jetzt, so der adel abstirbet, so wöllen die schneyder und metzger mit einander umb den adel streyten; wiewol die metzger haben die hund unnd die roß bevor, welche die schneyder erst müssen machen.

> Man sagt, und ist kein abentheür[14]
> Daß das junckfraw fleisch heür[15]
> Sey so böß[16] zu uberkommen
> Als um weihnachten ein warme sonnen.

1 fabel: *Geschichte* 2 er mähet dann weyter, weder sie kund bruntzen: *es sei denn, er mähte weiter als sie brunzen konnte* 3 heyrat: *Heiratsbewerber* 4 Wann sie hett so enge: *Denn sie hatte eine so enge* 5 sollich: *so* 6 understuond: *erkühnte* 7 edel: *Edelleute* 8 uberkommen: *abgekommen* 9 ward: *war da* 10 richt: *Richtzeichen* 11 muotter nackend: *nackt wie ein Säugling* 12 mader: *Mäher* 13 waidlich: *tüchtig* 14 abentheür: *Märchen* 15 heür: *heuer* 16 böß: *schlecht*

Eine Geschichte von einem Kaufmann und seiner Klatsche
Ein hystori vom kauffmann mit der hetzen[1]

Ein reicher kauffmann saß zu Leiptzig, der het ein wunderschönes weib. Die ward in lieb gegen eim jungen studenten entzünt; wann dann der kauffmann außritte, wie dann der kaufleüt brauch ist, das[2] sie grosse und schwere raysen thuon, schickt sie nach dem studenten. Nun hett der kauffmann ein hetzen, die kundt auß dermassen gar wol schwetzen. Wann dann der kauffmann allein daheim war, saget die hetz alles, was die fraw thet unnd was sie für huorerey trybe. Das sagt sie dann dem kauffmann, wann er wider kam. Dardurch dann die fraw vil böser ehe bekam[3], zanck und hader; darumb sie sinnen thet, wie sie des vogels möcht abkommen.[4] Nun auff ein zeyt war der kauffmann aber außgeritten; da schicket die fraw nach irem buolen, tryb mit im iren alten brauch. Da sprach der vogel: »Fraw, ich wils dem herrn sagen, so bald er kompt.« Darum die fraw sehr trawrig war unnd wurd mit ihrer magdt eins, namen ein faß und theten stain darein, truogens auff den boden. Nach dem die magt mit dem faß anfieng zu rumpeln und die fraw mit wasser zu sprengen und zu giessen, darnach mit kleinen steinlein unnd sandt zu werffen, samm es hagelt, gleich als wers ein rechts wetter.

Als nun der herr haym kam nach etlichen tagen, fieng die hetz an und erzelet alles, was der frawen buolschafft[5] het mit ir geredt. Das der kauffmann alles glaubet, fieng an sein weib zu schenden[6] und zu schlagen. Die sprach: »Was glaubst du nur dem heylosen[7] vogel? Ist es doch alles erlogen, was der heyloß vogel saget! Sage an, du loser schwetzer, wellichen tag hab ich mein ehe gebrochen?« Der vogel antwort: »Weißt du nicht, in der nacht, da das groß wetter ist gewesen?« »Sihe nur, mein lieber mann, wie er leugt[8]! Es ist doch nye kein wetter gewesen, weyl[9] du bist auß gewesen. Wilt du das nit glauben, so frag alle nachbauren, ob im nit also sey!« Der kaufman fraget sie. Sprachen sie alle, sie wusten von keinem wetter, dz der kauffmann sehr zornig ward, lieff heym in zoren[10], nam sein guote[11] hetzen unnd riß ihr den halß ab, vermeynet, es het der vogel gelogen. Da war er durch sein weib betrogen, die kundt darnach ihr buolerey treyben, wie sie wolt, ohn hindernuß des vogels.

---

1 hetzen: *üble Klatsche* 2 das: *weil* 3 vil böser ehe bekam: *es erging ihr ziemlich übel in ihrer Ehe* 4 wie sie des vogels möcht abkommen: *wie sie den Vogel (d. i. die Klatsche) loswerden könnte* 5 buolschafft: *Geliebter* 6 schenden: *beschimpfen* 7 heylosen: *bösen* 8 leugt: *lügt* 9 weyl: *als* 10 zoren: *Zorn* 11 guote: *tüchtiger*

Bernhard Hertzog
Die Schildwacht

(1560)

Wie der Papst einem Landsknecht eine Buße auferlegte,
und wie sie dieser einhielt
Wie der bapst einem landsknecht eine busse auffleget,
und wie er sich hielt[1]

Es war ein kriegsknecht, der kam gen Rom, beichtet dem bapst,
bekandte seine sünde, deren nun viel waren, begerte eine absolu-
tion und busse, dardurch er seiner sünde abstehen[2] möchte. Der
bapst setzet im auff[3], er sol in zweyen jahren kein wein trincken,
kein fleisch essen, auff keinem fedderbet ligen und kein weibes-
bild berühren; nach verscheinung[4] der zweyen jahren solt er sich
zu Rom wiederumb erzeigen. Das er denn versprach, und wie-
wol es ihm schwerlich, hatte er ihm[5] doch fürgenommen solches
zu vollbringen. Er zog so lange umb, das[6] er kein gelt hatte, auch
an kleidern gantz bloß gieng.

   Nach langem herumb ziehen kam er in ein nonnen closter, so
auff einer strassen lag, bey welchem ein schöner garten, in
demselben stund ein schöner birnbaum. Der gute gesell, so gantz
hungerig, steig hinauff, brach der birn. Es trug sich aber eben zu,
das die eptissin ihrer gewohnheit nach in den garten spatzieren
gieng, zu dem baum kam, hinauff ruffet, wer im[7] den befehl
oder gewalt[8] geben, das er auff den baum gestiegen. Der gute
gesell verantwortet sich, es hette in so übel gehungert. Es hatte
aber der kriegsman zerrissene hosen an, das ihme das geschirr
alles hindurch hieng, der nun zimlich staffiert[9] war. Welches die
nonne bald ersehen, gedacht: »Der mus dir wol zu statten
komen«, führet ihn in ire zellen, wein und fleisch darsetzet. Das
wolt er nit, saget, wie es im vom bapst verbotten were. Die
eptissin sagt, solchen dingen were wol rath zu finden, setzet im
wildprat und malvasier[10] für, sagt, es were weder wein noch
fleisch. Desgleichen, da die nacht her drang, wolte sie ihn in ihr

beth weisen. Dessen entschüldiget er sich, er dürffte zugleich auff keinem federbette schlaffen. Die nonne saget, es were kein fedderbett, sondern pflaumen[11], dessen der gut gesell wol zufrieden. Letztlich begerte die nonne sein beyschlaff zu sein. Dessen er sich abermahls wehret; es were im auch von dem bapst verbotten, er solte bey keinem weibe schlaffen. Die ebtissin antwort, er hett wol fug[12] bey ir zu ligen; denn sie were eine nonne und kein weib. Also blieb der landsknecht die zwey jar ein bauchvater bey den nonnen im closter. Sonder[13] zweiffel wird er sich wol gehalten und erzeigt haben; sie hetten in sonst nit so lange gelitten.

Da nun die zeit herumb kam, zog er wieder nach Rohm, begert der buß eine absolution. Der bapst höret in die beicht, fraget erstlich, ob er auch wein getruncken. Er antwort nein, sondern er were die zeit in einem closter gewesen, da hette er malvasier getruncken. Item, ob er fleisch gessen. Saget, er habe wiltprät und vogel genossen, das were kein fleisch. Zum dritten, ob er auff feddern geschlaffen. Er antwortet auch nein, sondern er hette auff pflaumen gerastet. Welches ihm der bapst alles verzeihet, doch ihn letzlichen examiniret, ob er auch bey einem weibe geschlaffen. Darauff der kriegsman auch nein antwortet: »Ich bin aber bey der eptissin und bey den nonnen allen gelegen.« Der bapst war zornig, sagt, er were ein kind der verdamnis, er köndte ihn nicht absolvieren; denn die nonnen weren unsers herrn gottes schwestern. Der landsknecht sagt: »Wohlan, sein die nonnen unsers herrn gotts schwestern, so ist er mein schwager; so wil ich wol selbst mit ihm eins werden, darff keiner absolution nicht.« Zog wieder zu seinen nonnen.

1 hielt: *verhielt* 2 abstehen: *loswerden* 3 setzet im auff: *erlegte ihm auf* 4 verscheinung: *Verstreichen* 5 er ihm: *er sich* 6 das: *bis* 7 im: *ihm* 8 gewalt: *Erlaubnis* 9 staffiert: *ausgestattet* 10 malvasier: *griechischer Wein* 11 pflaumen: *Flaum* 12 fug: *Befugnis* 13 sonder: *ohne*

Die Chronik der Grafen von Zimmern

(etwa 1560)

Schwänke aus der Markgrafschaft Baden und aus Meßkirch

In disem capitel werden erzellt etliche guete schwenk, so umb dise zeit zu Marggraven-Baden, auch zu Mösskirch sich verloffen[1]

Mittler weils als herr Johanns Wernher bei marggraf Christoffen zu Baden am hof, hat sich neben anderm ain lecherliche[2] sach begeben; dann als herr Johanns Wernher und Renhart von Neunegk aines abents spaciert, sein sie allain ohne ire diener in die herberg zum Salmen der zeit[3], wie man zu nachtessen phligt[4], gangen, und als sie niemandts gesehen, haben sie sich abzogen[5] und sein in ain kasten, den sie ohn geverdt[6] offen gefunden, in ain angemacht bad gesessen. Nun hat aber denselbigen kasten ain doctor von Augspurg bestanden[7] gehabt; der ist nach dem essen sambt seim weib und ainer gewachsnen[8] dochter, die das liecht voranher tragen, widerumb zum bad gangen, und wie der die zwen, die er nit gekennt oder gewisst, wer die seien, in seim bestandt, dem kasten, ersehen, ist er ganz undultig[9] und übel zufriden[10] gewest, derhalben mit rauchen[11] worten sie weichen haißen, dem sie aber nit gleich statt thuon wellen. Hat der doctor ain stab, den er in henden getragen, ufgehebt und uf sie schlagen wellen. Hierauf herr Johanns Wernher, auch Renhart von Neunegk im bad eilendts also nackendt und ohn alle niderwatten[12] ufgestanden, hat Renhart den großen zapfen im kasten erwischt und außzogen, und wie der doctor gebaret, als ob er schlagen mit dem stab, hat Renhart im mit dem hulzin zapfen zu werfen getrawet. Indessen der doctor vermerkt, das sein weib und die dochter anfahen zu pfuttern[13] und zu lachen, und gesehen, wie die beide also unverbunden[14] im casten ufrecht gestanden, ist er noch mehr erzürnt worden, hat der dochter das liecht ußer den henden gerissen und eilends fluchend mit den seinen wider darvon zogen. Herr Johanns Wernher, auch Renthart haben sich darnach nit lang gesaumbt[15], sich wider angelegt[16] und seitmals[17] sie ire diener nit bei der handt, haben sie an ire herbergen sich widerumb verfüegt.

1 sich verloffen: *sich begeben haben*   2 lecherliche: *komische*   3 der zeit: *zu der Zeit*   4 phligt: *pflegt*   5 abzogen: *ausgezogen*   6 ohn geverdt: *zufällig*   7 bestanden: *bestellt*   8 gewachsnen: *gut entwickelten*   9 undultig: *unduldsam*   10 übel zufriden: *mißlaunig*   11 rauchen: *rauhen*   12 niderwatten: *Hosen*   13 pfuttern: *prusten*   14 unverbunden: *ohne schützende Gewänder*   15 gesaumbt: *gesäumt*   16 angelegt: *angezogen*   17 seitmals: *weil*

Schwänke von Schalksnarren und anderen Toren

Diß capitel sagt von etlichen schalksnarren und andern dorechten[1] mentschen, was sie zu disen zeiten für gueter schwenk getrieben haben

Herr Johanns Wernher het noch ain solchen dorechten man, war auser Oberndorf bürtig[2]; man hieße das geschlecht nun die Scherer, iezundt werden sie die Gengle genannt. Er hieß Wolf Scherer, aber von wegen das er so dorecht und ain so wunderbarlicher, verkerter mentsch, ward er nit Wolf, sondern Petter Letzkopf gehaißen. Er gien sommer und winter ohne hossen und schue, und wiewol er gelt sovil, das er sich het mit klaider und geschüch beschleufen[3] mügen, ime auch hin und wider vil geschenkt wardt, so trueg er doch die schuech an der gürtel, und ward ain solcher landfarer, das er an kainem ort blib. Insonderhait, wo er am allerwerdesten und am maisten ward ufgehalten und do man in am liebsten het, do kunt er am minsten[4] bleiben; so er dann märkte, das er an aim ort unwert, konte den narren niemands auß dem haus bringen.

Herr Johanns Wernher het den armen mentschen manichmal gern behalten und umb Gottes willen erhalten, aber da war kain bleibens. Er kam uf ain zeit zu im geen Mösskirch, also ward er, wie dann zu hof der prauch, gefatzet.[5] Das verdroß den düppel[6]

nit wenig, derhalben, domit er sich reche[7], besteckt er alle die schloß mit helzlin, do er vermaint, das herr Johanns Wernher die geprauchen muste. In maßen, do herr Johanns Wernher kam und vermaint ufzuschließen, fande er die schlüssellöcher alle voller hölzle, und muest man übelzeit haben[8] und die schloß alle abbrechen, auch die thüren übel zergengen.[9] Herr Johanns Wernher war dieser abenteurer gar übel zu friden, besorgt, der narr mögte villeucht im hernach noch größern schaden zufüegen, derhalben nach erinnerung der beschehnen bosshait, must der bosshaftig narr die statt und herrschaft verschweren.[10]

Er wardt Kilian Fleinern, war herr Johannsen Wernhers raisiger[11] knecht, zugeben, der sollt in außer der herrschaft füeren. Das beschach. Kilian fürt den gauch[12] biß gar nahe zum closter Waldt, da verließ er in und ritt wider heim. Aber der Petter war der helzer wol bericht und darzu uf seinen füeßen geng beritten.[13] Der macht sich nach abscheiden des Kilians, seins glaitmans, uf den weg und kam vor dem Kilian geen Mösskirch. Iedoch wolt er nit zum underthor hinein, sonder lief stracks über alle wisen, lief durch die Ablach und zum Müllerthürlin in die statt. Wie nun der Kilian in das schlos wil reiten, sicht er den narren am Markt steen, dess er sich nit wenig verwundert; zaigt das seim herrn an. Herr Johanns Wernher beschickt eilends den Petter; den erinnert er, was er geschworen, und seitmals er als gröblich übergangen, was er damit beschult.[14] Der narr war aller sach gestendig, zaigt aber an, nachdem Kilian von ihm geschaiden, were er uf ain großen stain gesessen und hett in alle welt rings herumb gesehen, so hett im aber kein ort an der welt mehr gefallen, dann Mösskirch, darumb würt er sich auch nit von dannen weisen lassen. Herrn Johannsen Wernhern war der zorn zum thail wider vergangen, mueste des narren küntlichen[15] reden und dorechten geperden[16] wol lachen und ließ ine gleich zu Mösskirch bleiben.

---

1 dorechten: *törichten* 2 bürtig: *gebürtig* 3 beschleufen: *beschaffen*
4 minsten: *wenigsten* 5 gefatzet: *gefoppt* 6 düppel: *Tölpel* 7 reche:
räche 8 übelzeit haben: *Zeit für eine überflüssige Sache vergeuden* 9 zer-

gengen: *beschädigen*   10 die statt und herrschaft verschweren: *Stadt und Grafschaft zu meiden geloben*   11 raisiger: *berittener*   12 gauch: *Narren* 13 war der helzer wol bericht und darzu uf seinen füeßen geng beritten: *ihm war das Gehölz bestens vertraut und darzu war er zu Fuß so schnell wie ein Berittener*   14 was er damit beschult: *was er sich dadurch zu Schulden hatte kommen lassen*   15 küntlichen: *geschickten*   16 geperden: *Gebärden*

Hans Wilhelm Kirchhof
Wendunmut

(1563/1603)

Ein Einäugiger nimmt sich ein Weib
Ein eineugiger nimpt ein weib

Darumb, das ein megdlein sehr schön war, meinete ein guot
gesell, der nur ein aug hatte, sie müßte derhalben auch noch
frumb[1] und ein keusche jungkfrauw seyn, aber er befand die sach
hernach allerding im gegenspil.[2] Etlicher widerwertiger wort,
die sie im[3] gab, wurden sie zuo unfriden[4], daß er ir fluochet, sie
übel schalt und fürwarff, daß sie von einem andern vorhin
geschwecht[5] und sich nicht keusch biß zuo irem ehestand gehal-
ten hett. Wie solt dir doch was reines und vollkommens beschert
seyn, antwort sie im, der du selbst auch nicht hast, wie du
soltest, sondern bist schell[6] und eineugig. Sprach der mann mit
zorn: »Dessen darff[7] ich mich nicht beschemen und hab es mit
ehren von meinen feinden, do ich mich ritterlich gewert hab,
bekommen.« »Eben wirdt sich meins[8] im gegenwurff[9] und
besser finden«, sagt sein weib, »denn mein jungkfrauwschafft
hab ich bey guoten freunden, die mir am liebsten waren, verlo-
ren.«
   Die gülden[10] nemmen[11] nach dem klang,
   Und junge meidtlin nach dem gsang,
   Mangelt hernach offt am gewicht,
   Auch gleicht alles der stimm nicht.

---

1 frumb: *fromm*   2 gegenspil: *Gegenteil*   3 im: *ihm*   4 wurden sie zuo
unfriden: *gerieten sie in Streit*   5 geschwecht: *entjungfert*   6 schell: *scheel*
7 darff: *brauche*   8 meins: *meine Sache*   9 gegenwurff: *dagegen*
10 gülden: *Gulden*   11 nemmen: *nehmen*

Einer bittet, seine Frau zu Grabe zu tragen
Einer bitt sein frauw zum grab zuo tragen.

Zu Morauw, in der obern Steyermarck gelegen, war einem
burger sein weib gestorben, der kam zuo seiner nachbarn einem
und sprach: »Lieber nachtbar, guoter freundt, unser herrgott hat
mir mein haußfrauw genommen, die wil ich yetzund nach
christlicher ordnung zur erden bestatten lassen, wil auch darumb
fleissig bitten, ir wöllet mir zuo gefallen seyn und sie helffen zum
grab tragen, ich wil euch wider dergleichen dienst thun.« Das
erhöret dessen frauw, den er bath und sagt: »Er mag euch wol
dienen, aber von euch dergleichen zuo thun sey ferne, dann ich
würde meinen halß daran setzen müssen.[1]
    Mancher meint sein red wolgestalt,
    Wann in betreugt[2] sein selbst einfalt.

1 meinen halß daran setzen müssen: *mein Leben dafür lassen müssen*   2 be-
treugt: *täuscht*

Wie ein Bürger zu Kassel einen Hasen fing
Ein burger zuo Cassel fähet[1] ein hasen

In der revier umb die statt Cassel ist dem gemeinen mann bey
einer harten straff die hasen zuo fahen verbotten, derhalben sie
fast zam[2] allenthalben in die gärten lauffen und viel kraut zuo
schanden machen. Vor jaren soll ein burger vor das Neuwenstet-
ter thor in seinen garten sein spatzieren gangen, und wie er eines
hasen, der an den kölen[3] nicht geringen schaden begangen,
ersahe, warff er nach demselben mit einer barten.[4] Und wie im
der wurff gerahten, daß er den hasen traffe, faßt er den under
seinen mantel, tratt[5] wider nach der statt und gedacht bey sich
selber: »Ietzt wiltu auch ein mal satt wiltpret essen, doch aber
mußtu solches nit allein geniessen, sondern deiner gefattern und
schwäger etliche darzuo laden.« Nun kondt er wol erachten, daß
an dem hasen nicht genug und auch ein gericht fleisch und fisch

darneben nit zuo haben verächtlich und schlecht stähen würde[6],
zuo dem, daß er ja zum wenigsten solchen seinen gesten ein halb
viertel wein schencken müßt. Also diß und jenes sampt seinem
kosten überschlagende, war noch das gröste, daß im eynfiele,
wo man es von im mit dem hasen erfüre (weil selten etwas mag
verschwiegen bleiben) daß er einer unnachläsigen buoß nit ent-
gehen möchte. Eben in solchen gedancken war er auff die
Fuldbrucken[7] kommen und sagte zuo seinem hasen: »Soltestu
mich in einen unnützen kosten und auch andere beschwerlichkei-
ten bringen, wer mir lieber, ich hette dich nie gesehen. Wil
derhalben deiner fürter überig seyn[8]!« warff in in die Fuld und
ließ in fliessen.

Forcht unnötiger kost und buß
Macht vieler ding ein überdruß.

1 fähet: *fängt* 2 zam: *zahm* 3 kölen: *Kohlköpfen* 4 barten: *Axt*
5 tratt: *ging* 6 nit zuo haben verächtlich und schlecht stähen würde:
nicht zu verachten sein und nicht schlecht anstehen würde 7 Fuldbrucken:
Fuldabrücke 8 fürter überig seyn: *fürderhin ledig sein*

Von zwei Dieben im Gefängnis
Zwen dieb sitzen gefangen

Auff einem jarmarckt in einer statt ward ein nackender buob
über[1] geringem diebstal, als daß er etliche löffel, messer, schnür-
lein etc. gestolen und über einem seckel[2], den er abzuoschneiden
versuchte, ergriffen und ins gefengknuß gevorffen. Darinnen
gehuob[3] er sich, als seines lebens gantz verwegen[4], mit weinen
und kleglichen geberden sehr übel, nam im[5] darbey seltzam, daß
ein ander dieb, der auch im selbigen thurn[6] neben im lag, so
frölich und guoter dingen seyn köndte. Der ander fragt in und
sprach: »Was hast du verschuldet, daß du so unmuotig[7] bist? du
wirst deinen sachen nit wol fürgestanden seyn.[8]« »Was sol ich
armer gethan haben«, antwort diser, »alles das ienig, so ich
gestolen, ist kaum acht oder neun gulden werht und muoß

darumb sterben und nach meinem beduncken[9] trawer[10] ich billich.[11] Du aber, wie ich vernommen, hast mehr denn hundert thaler gestolen und magst noch one forcht deß gewissen todts frölich seyn?« »Desto besser hab ichs«, sagt der groß dieb, »also soltestu im[12] auch gethon haben; ich hab hundert thaler und mehr gestolen, darvon hab ich den halben theil dem schultheissen geschenckt, der ist mir ein guoter bürg zuo meiner erledigung.[13]« Dat veniam corvis, vexat censura columbas.[14]

Die klein dieb man an galgen bindt,
Die grossen in dem seckel findt.
Aber nit allenthalben alle; drauff wags keiner.

1 über: *bei* 2 seckel: *Geldbörse* 3 gehuob: *gebärdete* 4 als seines lebens gantz verwegen: *als sei sein Leben verwirkt* 5 nam im: *benahm sich* 6 thurn: *Turm* 7 unmuotig: *mutlos* 8 nit wol fürgestanden seyn: *nicht richtig vertreten haben* 9 beduncken: *Dafürhalten* 10 trawer: *traure* 11 billich: *zu Recht* 12 im: *es* 13 bürg zuo meiner erledigung: *Bürge für die Erledigung meines Falles* 14 Dat veniam corvis, vexat censura columbas: *Strenge Kritik verzeiht den Raben, aber trifft die Taube*

Von einer fürchterlichen Rache für Ehebruch
Ein schwere rach deß ehebruchs

Ein lellmaul und rechter löffel[1] war ein bawr[2], der nichts denn[3] von seiner schönen jungen frauwen, und wie die so freundtlich[4] were, zu sagen wußte; sprach auch, wie er sie so lieb hette, das er nit leiden möchte, das sie ein anderer angreiffen solte. Nach wenig tagen gieng er sampt ir durch einen wald, darinnen ihm ein reuter begegnet, der ihn zwang, im das weib nach seinem willen zu übergeben. Und als er seinen mantel auff die erden gespreitet[5], zoch er den gaul darauff und sprach zuo im: »Nun halt das pferd beym zügel und sich zuo, das es mit keinem fuoß vom mantel trette, sonst würde ich dir deinen kopff zerschlagen.« Hernach, als der reuter seins wegs hinweg geritten, schalt das weib iren mann hefftig seiner kleinmütigkeit halber, und das er solchem mutwillen nit anderst fürkommen[6] were. »Ach, schweig«, sprach er, »du hortest wol, wie er mir befalh, den gaul nit vom mantel schreiten zu lassen? das hab ich wol hundertmal, dieweil auch gern, geschehen lassen, und den[7] mit meiner wehr[8] voller löcher gestoßen.«

1 lellmaul und rechter löffel: *Maulheld und echter Schlappschwanz*
2 bawr: *Bauer* 3 nichts denn: *nichts außer* 4 freundtlich: *liebevoll*
5 gespreitet: *ausgebreitet* 6 fürkommen: *zuvorgekommen* 7 den: *den Mantel* 8 wehr: *Stichwaffe*

Vom hölzernen Johannes
Von einem höltzern Johannes

So lieb hett ein weib iren mann, daß sie ir fürsetzte[1] nach seinem absterben sich keinen andern wider freyen[2] zuo lassen, ließ darumb ein höltzin bild in der form, gestalt und grösse ires haußwirts schnitzen und mit farben anstreichen, welche sie den höltzeren Johannes nennete, das solte darnach, so sie wittwe würde, an statt eines mannes bey ir bleiben. Es trug sich zuo, das es, wie ir vermuotung gewesen, ergienge, und ir mann den geist auffgab. Nachdem sie aber fast ein halbes jar hefftigklich getrauwret, fieng an die kümmerniß etlicher massen schmeidiger[3] zuo werden, und als sie von ihren angewandten zuo einer wirtschafft geladen gehen wolte, befahl sie ihrer magd ja nicht zuo vergessen, das sie, wenn der höltzerin Johannes warm worden were, ihn ins bett legen und denn, sie heim zuo geleihten, zuo ir keme. Dann es war ihr brauch alle abend, ehe sie schlaffen lage, mußt man ir den höltzern Johannes, der sonst bey dem ofen stund, ins bette tragen. Die magd gedacht, es würde ietzo zeyt seyn, weil die frauw nach der gasterey[4] frölich sein würde, den iren zuo rahten, derhalben berufft sie iren bruoder, der ein schöner und gerader jüngling war, den underrichtet sie deß handels, führet in in der frauwen bett, verstecket den höltzern Johannes auff ein andern ort, gieng nach dem zuo irer

frawen, darnach wider mit ir zuo hauß, und da sie ir in die
kammer gezündet[5], leget sie (die magd) sich auch zuo ruowen[6]
nider. Dieser Johannes wermete die frauwen so wol, das sie in[7]
nicht, wie den andern, wann er kalt worden ware, fürs[8] bette
stellet, sondern behielt in bey sich biß an den morgen. Nach
schaffung[9] der frauwen kam alle morgen, wie auch itzt, die
magd und fragte, ob sie gen markt gehen und etwas kauffen
solte; sprach die frauw, daß sie besehe[10], ob nicht ein gut essen
fisch zuo bekommen were. Gern wil ichs thun, antwortet die
magd, wann aber ich sie schon bringe, haben wir nicht soviel
dürres holtzes im hauß, daß man sie möchte rechtschaffen[11]
darbey sieden. Ach, sagt die frauw, so nim den höltzern Johan-
nes, der ist dürr gnuog, den zerhauw und koch darbey, so lang er
wehret.[12] Dergestalt bracht die magd iren bruoder in grosse
reichthumb, denn dieweil er die frauwen so wol wermet, behielt
sie in zuo irem ehelichen mann.

1 ir fürsetzte: *sich vornahm*   2 freyen: *heiraten*   3 schmeidiger: *nachgiebi-
ger*   4 gasterey: *Gastmahl*   5 gezündet: *geleuchtet*   6 ruowen: *Ruhe*
7 in: *ihn*   8 fürs: *vor das*   9 schaffung: *Anordnung*   10 besehe: *zusehe*
11 rechtschaffen: *ordentlich*   12 wehret: *ausreichet*

Wolfgang Büttner
Claus Narr

(1572)

Der Bauer auf Stelzen
Bauwer auff Steltzen

Ein Bauwer gieng auff Steltzen, unnd fiel in den Dreck. Claus sahe es, und sprach: »Dir geschicht recht, werest du mitten durch den Dreck gangen, so werest du rauß an den rand gefallen.«

> Wer laufft in Regen, fellt in Bach,
> Als diesem Bauwer auch geschach,
> Der schont die newen Schuh, und spart,
> Da doch der Rock besudelt ward.

Die Entfernung zwischen Wittenberg und Torgau
Wittenberg und Torgaw[1]

Claus höret, daß einer fraget: »Lieber, wie weit ist Torgaw und Wittenberg von einander gelegen?« Da antwortet er: »Nit weiter denn Wittenberg von Torgaw gelegen ist. Davon[2] magstu die Hofleute, oder die Studenten fragen.«

> Auff Narren frag recht wol sich schickt
> Die antwort, so ein Narr drauff gibt,
> Wer weiß, und fragt, der ist ein Schalck,
> On das hat fragen sein gestalt.[3]

1 Torgaw: *Torgau* 2 Davon: *Dieses* 3 On das hat fragen sein gestalt:
Ohne daß das Fragen berechtigt wäre

Von drei faulen Narren

Drey faule Narren

Es wolte einer under dreyen Narren, die da stinckend faul waren, einen Gülden[1] schencken dem, der da der fäulest und der schlimmest were. Als sprach der erste: »Ich bin so faul, daß ich nicht uber die Stube gieng, und den Gülden von dir entpfienge.« Der ander sprach: »Ich bin fäuler, denn lege das Geldt auff dem Tisch, und dabey ein Beutel, daß ichs drein steckte, köndte ich für faulheit den Beutel nit auffmachen, noch das Gelt darein fassen.« Der dritte sprach: »Ich bin der fäuleste, denn were das Gelt in den Beutel gezehlet, unnd man reichte mir den Beutel zu, köndte ich nicht darnach greiffen.«

> Der possz[2] dahin sich fügt und reimpt,
> Der Mensch ist Gott gehassz und feindt,
> Träg, faul, verdrossen, ungeschickt,
> Und nichts auff Gottes willen gibt.

1 Gülden: *Gulden*   2 possz: *Schabernack*

Bartholomäus Krüger
Hans Clauert

(1587)

Wie Clauert drei Studenten nach Berlin führte
Wie Clawert drey Studenten gen Berlin führet

Eins mals kamen drey Studenten gen Trebbin ins Wirtshaus, zu
Peter Müller, die begerten einen furman bis gen Berlin, wie den[1]
dieselben gesellen nicht gern weit zu fusse gehen, zu denen saget
Peter Müller, das er für solche Leute gar einen bequemen[2]
furman wuste, der sie gar sanfft führen möchte, vnd schickte
nach Clawerten, der kam als bald gegangen, denselben truncken
sie zu vollen unnd zu halben zu[3], der meinung, das er desto
geringern lohn von sie fordern solte. Clawert tranck so viel das
er gnung hatte, wunschet den Studenten ein gute nacht, unnd
verhies sie des morgends gen Berlin zu führen, darauff sie ihm
einen halben thaler gaben. Clawert richtet einen wagen zu, unnd
kam des andern tages mit einem lahmen unnd magern Pferde vor
die herberg gezogen, gieng hienein, unnd fraget, ob sie auffsit-
zen wolten, die Studenten hatten sich zur fart bereitet, unnd
vermeineten bald gen Berlin zu kommen, do sagte Clawert:
»Liebe Freunde, ich wil euch gern fuohren, aber das wil ich mich
vorbehalten haben, das ihr die Berge hinan gehn, auch von den
bergen hinab lauffen, und wo der wegk gleich und eben ist, bey
her[4] Spazieren solt, sonsten vermöcht ich mit meinem Pferde
dahin nicht zu kommen.« Die Studenten wurden unwillig, da sie
sahen das sie betrogen waren und begereten, Clawert solte die
zeche bezalen, und jhnen jhr geldt wider zustellen. Clawert
sagte: »Ich habe euch nicht gebeten, das ihr mir sollet zu trincken
geben, darzu so hat mein Pferdt diese nacht den halben thaler am
haber verzehret, do es doch sein lebelang wol keinen habern
gekostet hatte, wolt ihr nun nicht fahren, so mügt ihr zu Fusse
lauffen, ich hette euch sonsten gar gern geführt, so es euch
gefellig were gewesen.« Die Studenten dürften vor scham[5] nicht

lenger harren, bezaleten den wirdt, und Ritten auff jhrer Mutter füln gen Berlin.

Morale

Wer auff einem Pflaster Rent,
Vnd auff ein faule[6] brücken sprengt[7],
Ein Jungfraw liebt, eh den ers kennt,
Der Bleibt ein narr bis an sein end,
Dafür hüt dich, hie Clawert spricht,
Gleub[8] nicht allzeit, eh dans[9] geschicht.

---

1 den: *denn*   2 bequemen: *angenehmen*   3 truncken sie zu vollen unnd zu halben zu: *spendierten ihm reichlich zu trinken*   4 bey her: *neben her* 5 vor scham: *aus Schmach*   6 faule: *vermoderte*   7 sprengt: *galoppiert* 8 Gleub: *glauben*   9 eh dans: *ehe es*

Historia von Doktor Johann Faust

(1587)

Doktor Faust betrügt einen Roßtäuscher

D.[1] Faustus betreugt einen Roßtäuscher[2]

Gleicher weiß[3] thete er einem Roßteuscher auff einem Jahr-
marckt, dann er richtet jhme selbsten ein schön herrlich Pferd zu.
Mit demselben ritte er auff einen Jahrmarckt, Pfeiffering ge-
nannt, unnd hatt viel Kauffer[4] darumben. Letzlich wird ers umb
40 Fl.[5] loß und sagte dem Roßtäuscher zuvor, er solte jhn uber
kein Träncke reiten. Der Roßtäuscher wolte sehen, was er doch
mit meynete, ritte in ein Schwemme. Da verschwand das Pferd,
und saß er auff einem Bündel Stro, daß er schier ertruncken
were. Der Kauffer wuste noch wol, wo sein verkauffer zur
Herberg lage[6], gieng zornig dahin, fand D. Faustum auff einem
Betth ligen, schlaffendt unnd schnarchend. Der Roßtäuscher
name jhne beym Fuß, wolt jn herab ziehen, da gieng jhme der
Fuß aussem Arß, unnd fiel der Roßtäuscher mit in die Stuben
nider. Da fienge Doctor Faustus an, Mordio zuschreyen. Dem
Roßtäuscher war angst, gab die Flucht[7] und machte sich auß dem
Staub, vermeinte nicht anderst, als hette er jhme den Fuß aus
dem Arß gerissen. Also kam D. Faustus wider zu Gelt.

1 D.: *Doktor*   2 Roßtäuscher: *betrügerischer Pferdehändler*   3 Gleicher
weiß: *bezieht sich auf die vorangegangene Historie*   4 Kauffer: *Käu-
fer*   5 Fl.: *Florin*   6 zur Herberg lage: *Unterkunft genommen hatte*   7 gab
die Flucht: *ergriff die Flucht*

Das Lalebuch

(1597)

Wie ein Lale von einem anderen einen Wagen ausleihen wollte
Ein Lale wolt von dem andern ein Wagen entlehnen

Zwen Bawren zu Laleburg waren Nachbaurn, hatten jre Häuser
nahe an einander. Auff ein morgen gar frühe, etwan umb die
achte stund, kam der eine für deß andern Fenster und klopffet
mit einem Finger dran, damit man nit meine, es sey mit einem
Stieffel beschehen.[1] Der ander lag noch hinder dem Ofen in der
Hell[2] (wie sie es nennen) im Nest, mocht für faulkeit nit auß dem
Straw[3], sonder schrey mit lautter stimme herfür: »Wer klopfft da
so frühe?« »Ich bins Nachbawr«, sprach der ander Lale, »was
thut jhr?« Der in der Stuben antwortet: »Hie lige ich und
schlaffe. Waz wer euch lieb[4] Nachbawr?« Der vor dem Fenster
sprach: »Wann jr nit schlieffet, wolt ich euch umb ewern wagen
gebetten haben. Aber ich wil uber einen guten schier[5] hin, wann
jr erwacht, widerkommen.« »Das thund«, sprach der inn den
Strofedern. Vermeinten also diese beide, wann einer im Bett lige,
so schlaffe er auch.

---

1 beschehen: *geschehen*   2 Hell: *Hölle*   3 Straw: *Stroh*   4 Waz wer euch
lieb?: *Was sollt ihr?*   5 uber einen guten schier: *nach einer guten Weile*

Wie die Laleburger ihre Glocke im See verbergen
Die Laleburger verbergen jhr Glocken in den See

Auff ein zeit als Kriegs geschrey eynfiele[1], forchten die Lalen
ihrer Haab und Gütern sehr, daß jhnen die von den Feinden nicht
geraubt und hinweg geführt wurden, sonderlich[2] aber war jnen
angst für ein Glocken, welche auff jrem Rhathauß hienge, ge-
dachten, man wurd jn dieselb hinweg nemmen und Büchsen
darauß giessen. Also warden sie nach langem rhatschlag eins,

dieselb biß zu ende deß Kriegs in den See zuversencken und sie alsdann, wann der Krieg fürüber unnd der Feynd hinweg were, widerumb herauß zuziehen unnd wider auffzuhencken. Tragen sie derowegen in ein Schiff und führens auff den See.

Als sie aber die Glocke wöllen hinein werffen, sagt einer ungefehr[3]: »Wie wöllen wir aber daz ort wider finden, da wir sie außgeworffen haben, wann wir sie gern wider hetten?« »Da lasse dir«, sprach der Schultheß, »kein graw Har im etc. wachsen«, gieng damit hinzu, und mit einem Messer schneid er eine kerff[4] in dem schiff an daß ort, da sie die Glocke hinauß geworffen, sprechende.[5] »Hie bey diesem schnitt wöllen wir sie wider finden.« Ward also die[6] hinauß geworffen und versenckt. Nach dem aber der Krieg auß war, fuhren sie wider uff den see, jr Glocken zu holen und fanden den kerffschnit an dem Schiffe wol, aber die Glock konten sie darumb nicht finden, noch den ort im Wasser, da sie solche hineyn gesenckt. Manglen sie[7] also noch heut diß tages ihrer guten Glocken.

1 eynfiele: *verbreitete* 2 sonderlich: *besonders* 3 ungefehr: *plötzlich* 4 kerff: *Kerbe* 5 sprechende: *sprach dabei* 6 die: *die Glocke* 7 Manglen sie: *Es fehlt ihnen*

Von einem Reiter aus Laleburg
Von einem Reutter zu Laleburg

Ein Laleburger ritte mit andern hinweg, und alweg[1] wa die anderen abstigen, da stige er auch mit jhn ab. Wann sie aber widerumb auffsassen, blieb er alle zeit stehen, biß sich die andern alle zu Roß gesetzt hatten, alsdann saß er auch auff und reit fort mit jhnen. Einer thet jn fragen, warumb er solchs thete? Dem antwortet er: Er thuoe es darumb: Dieweil er sein Roß nicht könne unterscheiden von den andern Rossen, so förchte er, daß er nicht etwan einem andern auff das seine sitze. Wann sie aber alle auffgesessen, so wisse er, daß das ubereintzige[2] sein seye. He he he hem.

Eins mals ritten sie durch ein Dorff. Da warffen die bösen buben auff der Gassen mit Steinen, und traffe einer ungefehr[3] diesen Lale Reutter hinden an den Kopff. Er nit unbehend, steigt von seinem Roß ab und bittet einen andern mit jme zuverwechslen.[4] Das beschahe. Hernach fragt jn der ander, warum er verwechselt habe? Da sagt er jhm: Als er durch das Dorff geritten seye, da habe sein Pferd angefangen zugumpen[5] und jhn von hindenzu an den Kopff geschlagen. Drumb wölle er nicht mehr darauff reitten. Dann er hatte deß buben nicht wargenommen welcher jhn geworffen. Drumb meint er, das Pferd, auff welchem er gesessen, habe jn hinder die Ohren geschlagen. Der Esel hats vielleicht gethan gehabt.

1 alweg: *überall*   2 ubereintzige: *übriggebliebene*   3 ungefehr: *zufällig*
4 zuverwechslen: *zu wechseln*   5 zugumpen: *zu springen*

Die Schildbürger

(1598)

Wie die Schildbürger einen Maushund und damit schließlich
ihr Verderben gesucht haben

Wie die Schiltbürger einen Maußhund, und hiemit ihr endlichs
verderben gesucht

Nun hatten die zu Schilde keine Katzen, unnd aber so viel
Meuse, das inen auch im Brodkorbe nichts sicher ward, was sie
nur neben sich stelleten, das ward ihnen gefressen oder zernaget,
deß sie dann sehr angsthafft waren. Es begab sich auff eine zeit,
das ein Wandersman durch ihr Dorff zog, der trug eine Katzen
auff dem Arm, und kehret bey dem Wirth ein. Der Wirth fraget
ihn, was doch dieses für ein Thier sey. Er sprach: Es sey ein
Maußhund. Nu waren die Meuse zu Schilde so heimlich[1] und
zam, das sie auch vor den Leuten nicht mehr flohen, lieffen bey
Tag hin und her ohn alles schewen[2], darumb ließ der Wanders-
man die Katze lauffen, die erleget als bald in beysein des Wirths
der Meuse gar viel.

Als solches der Gemein[3] durch den Wirth angezeiget ward,
fragten sie den Mann, ob ihme der Maußhund feil were[4], sie
wolten im den wol bezalen. Er antwortet: Er sey ihm zwar nicht
feil, dieweil sie aber sein so nohtwendig, so wolle er in inen recht
werden lassen, wann sie wolten darumb geben was recht sey.
Fordert derowegen hundert Gulden dafür. Die Bawren waren
froh, das er nicht mehr gefordert hatte, wurden mit ihm des
Kauffs eins, ihme das halbe also bar zu erlegen, das ubrige Gelt
solte er iber ein halbes Jahr kommen unnd holen. Also war von
beyden theilen der Kauff eingeschlagen, diesem das halbe Gelt
gegeben, so trug er ihnen den Maushund in ihre Burg, darinnen
sie ihr Getreide hatten liegen, da auch am meisten Meuse gewe-
sen. Der Wanderer zog eilends mit dem Geld hinweg, fürchtet
sich, das sie nicht etwan der Kauff gerewe, und sie ihm das Geld

wider nemen möchten, unnd in dem gehen sahe er offt hinder-
sich, ob ihm nicht jemand nach eile.

Nun hatten die Bawren vergessen zufragen, was der Maus-
hund esse, darumb schickten sie dem Wandersmann in eyl einen
nach, der ihn deshalb solt fragen. Als nun der mit dem Gelde
sahe, daß ihm jemand nacheilete, eilet er desto mehr, also, das
ihn der Bawer nicht ereilen mochte, darumb schrey er ihm von
ferne zu: »Was isset er? Was isset er?« Jener antwortet: »Was man
ihm gibt, was man ihm gibt.« Der Bawer hatte verstanden, er
habe gesaget: »Viehe und Leute, Viehe und Leute.« Kehret
derowegen in grossem unmut wieder heim, und zeiget solches
seinen gnädigen Herren an, welche darob sehr erschracken, und
sprachen: »Wann er keine Mäuse mehr zu fressen hat, so wird er
darnach unser Viehe fressen, und endlich uns selbs, ob wir ihn
schon mit unserm guten Gelde an uns gekaufft haben.«
Rahtschlugen derowegen, die Katze zu tödten, aber keiner wolte
sie angreiffen. Darumb wurden sie Rahts, sie in dem Schloß mit
Fewer zu verbrennen, dann es were besser, ein geringer Schaden,
als das sie alle solten umb Leib und Leben kommen. Also
zündeten sie das Schloß an.

Da aber die Katze das Fewer schmecket, sprange sie zu einem
Fenster hinaus, kam davon, und floh in ein ander Haus, das
Schloß aber verbrannt biß auff den Boden hinweg. Niemand
war je ängstiger, als die Schiltbürger, die des Maushundes nicht
kundten abkommen[5], hielten derwegen ferner raht, und kaufften
das Haus, darinnen die Katze war, auch an sich, und zündeten es
auch an. Aber die Katz entsprang auff das Dach, saß da ein weil,
und putzet sich, wie ihre gewonheit war, mit dem Täplein uber
den Kopff, das verstunden die Bawren, als die Katze eine Hand
auffhüb, unnd einen Eid schwüre, das sie solchs nicht wolt
ungerochen[6] lassen. Allda wolte einer mit einem langen Spieß
nach der Katzen stechen, sie aber ergreiff den Spieß, und fieng an
daran herab zu lauffen, dessen er unnd die gantze Gemein
erschracken, davon lieffen und das Fewer brennen liessen. Und
dieweil dem Fewer niemand gewehret, noch dasselbige gelo-
schen hat, verbrannt das gantze Dorff biß auff ein Haus, und

kam gleichwol die Katzen darvon. Die Bawren aber waren mit Weib und Kind in einen Wald geflohen. Damals verbrandte auch ihre Cantzeley, also das von ihren Geschichten nichts ordentliches mehr verzeichnet zu finden.

1 heimlich: *häuslich*   2 schewen: *Scheu*   3 Gemein: *Gemeinde*   4 ihme der Maußhund feil were: *er den Maushund verkaufen würde*   5 nicht kundten abkommen: *nicht loswerden konnten*   6 ungerochen: *ungerächt*

Quellenverzeichnis

Lateinische Schwänke vom 10. bis zum 15. Jahrhundert

Das Schneekind, aus:
Denkmäler deutscher Poesie und Prosa aus dem 8.–12. Jahrhundert. Hrsg. von Karl Müllenhoff und Wilhelm Scherer, Bd. 1. 3. Ausg. von E[mil Elias] Steinmeyer. Berlin: Weidmann 1892. – Übers., ibd.

Ekkehard IV., *Der Lahme im Bade,* aus:
Ekkehardi IV. Casus Sancti Galli. Editionis textum paravit Hans F. Haefele. Darmstadt: Wissenschaftliche Buchgesellschaft 1980 (Freih. vom Stein-Gedächtnisausg., Bd. 10). – Übers., ibd.

Von den treulosen Weibern und der Verblendung mancher Prälaten, aus:
Gesta Romanorum. Hrsg. von Hermann Oesterley. Berlin: Weidmann 1872. – Übers. aus: Gesta Romanorum. Die Taten der Römer. Nach der Übersetzung von Johann Georg Theodor Grässe hrsg. und neu bearb. von Hans Eckart Rübesamen. München: Goldmann o. J.

Bischof und Äbtissin, Das Testament des Esels, Witwentreue, aus:
Mensa Philosophica. Louvain [um 1485]. – Übers. aus: Mönchslatein. Erzählungen aus geistlichen Schriften des 13. Jahrhunderts. Hrsg. von Albert Wesselski. Leipzig: Heims 1909.

Versschwänke vom 13. bis zum 16. Jahrhundert

Der Stricker, *Der Pfaffe Amis,* aus:
Der Pfaffe Amis. Erzählungen und Schwänke. Hrsg. von Hans Lambel. Leipzig: Brockhaus 1872 (Deutsche Classiker des Mittelalters, Bd. 12).

Herrand von Wildonie, *Der betrogene Gatte,* aus:
Herrand von Wildonie. Vier Erzählungen. Hrsg. von Hanns
Fischer. 2., rev. Aufl. besorgt von Paul Sappler. Tübingen:
Niemeyer 1969 (ATB 51). – Übers. aus: Lachen, List und Liebe.
Schwankerzählungen des deutschen Mittelalters. Ausgew. und
übers. von Hanns Fischer. München: Hanser 1967.

Die böse Adelheid, aus:
Neues Gesamtabenteuer. Das ist Fr[iedrich] H[einrich] von der
Hagens Gesamtabenteuer in neuer Auswahl. Die Sammlungen
der mittelhochdeutschen Mären und Schwänke des 13. und 14.
Jahrhunderts, Bd. 1. Hrsg. von Heinrich Niewöhner. 2. Aufl.
hrsg. von W. Simon. Dublin, Zürich: Weidmann 1967. – Übers.
aus: Lachen, List und Liebe.

Minnedurst, aus:
Neues Gesamtabenteuer. – Übers. aus: Lachen, List und Liebe.

Der Ritter mit den Nüssen, aus:
Neues Gesamtabenteuer. – Übers. aus: Lachen, List und Liebe.

Die Meierin mit der Geiß, aus:
Neues Gesamtabenteuer. – Übers. aus: Lachen, List und Liebe.

Die Buhlschaft auf dem Baume, aus:
Die deutsche Märendichtung des 15. Jahrhunderts. Hrsg. von
Hanns Fischer. München: C. H. Beck 1966 (MTU 12). – Übers.
aus: Lachen, List und Liebe.

Der Pfaffe im Käskorb, aus:
Eine Schweizer Kleinepiksammlung aus dem 15. Jahrhundert.
Hrsg. von Hanns Fischer. Tübingen: Niemeyer 1965 (ATB 65).
– Übers. aus: Lachen, List und Liebe.

Hans Rosenplüt, *Die Wolfsgrube,* aus:
Die deutsche Märchendichtung des 15. Jahrhunderts. – Übers.
aus: Lachen, List und Liebe.

Philipp Frankfurter, *Wie der Pfaffe vom Kalenberg zur Kirchweih
des Bischofs kam,* aus:

Die geschicht des pfarrers vom Kalenberg. In: Narrenbuch. Hrsg. und erläutert von Felix Bobertag. Berlin, Stuttgart: Spemann 1884 (DNL 11).

Neithart Fuchs und das erste Frühlingsveilchen, aus:
Neithart Fuchs. In: Narrenbuch.

Burkhard Waldis, *Vom jungen Gesellen und einem Wirt*, aus:
Esopus von Burkhard Waldis. Hrsg. und mit Erläuterungen versehen von Heinrich Kurz, 2. Teil. Leipzig: J. J. Weber 1862.

Hans Sachs, *Die Müllerstochter mit der Eselin*, aus:
Sämtliche Fabeln und Schwänke von Hans Sachs, 6. Bd. Hrsg. von Edmund Goetze und Karl Drescher. Halle: Niemeyer 1913.

Achilles Jason Widmann, *Wie Peter Leu Pfarrherr zu Fichberg wurde und Leintuch sammelte, um das Höllenloch zu verstopfen*, aus:
Histori Peter Lewen des andern Kalenbergers, was er für seltzame abenthewr für gehabt und begangen, in Reimen verfaßt durch Achilles Jason Widmann von Hall. In: Narrenbuch.

Facetien des 15. und 16. Jahrhunderts

Augustin Tünger, *Das Geschenk*, aus:
Augustin Tüngers Facetiae. Hrsg. von Adelbert von Keller. Tübingen: Litterarischer Verein 1874 (BlV 118).

Augustin Tünger, *Trost*, aus:
Augustin Tüngers Facetiae.

Heinrich Bebel, *Von einem Landsknecht*, aus:
Heinrich Bebels Facetien. Drei Bücher. Hist.-krit. Ausg. von Gustav Bebermeyer. Leipzig: Hiersemann 1931 (BlV 276).

Heinrich Bebel, *Eine wahre Geschichte von der Listigkeit der Weiber*, aus:
Heinrich Bebels Facetien.

Heinrich Bebel, *Von einem Advokaten,* aus:
Heinrich Bebels Facetien.

Schwanksammlungen und Schwankromane des 15. und 16. Jahrhunderts

Heinrich Steinhöwel, *Eine Frau klagt ihren Mann an, daß er keinen hätte,* aus:
Steinhöwels Äsop. Hrsg. von Hermann Österley. Tübingen: Litterarischer Verein 1873 (BlV 117).

Hermen Bote, *Eulenspiegel-Historien,* aus:
Ein kurtzweilig Lesen von Dil Ulenspiegel. Nach dem Druck von 1515 mit 87 Holzschnitten hrsg. von Wolfgang Lindow. Durchges. und bibliogr. erg. Ausg. Stuttgart: Reclam 1978 (UB 1687).

Johannes Pauli, *Schimpf und Ernst,* aus:
Johannes Pauli. Schimpf und Ernst, Bd. 1. Hrsg. von Johannes Bolte. Berlin: Stubenrauch 1924 (Alte Erzähler, Bd. 1).

Georg Wickram, *Das Rollwagenbüchlein,* aus:
Georg Wickrams Werke, Bd. 3. Hrsg. von Johannes Bolte. Tübingen: Litterarischer Verein 1903 (BlV 229).

Jakob Frey, *Die Gartengesellschaft,* aus:
Jakob Freys Gartengesellschaft (1556). Hrsg. von Johannes Bolte. Tübingen: Litterarischer Verein 1896 (BlV 209).

Martin Montanus, *Der andere Teil der Gartengesellschaft,* aus:
Martin Montanus. Schwankbücher (1557–1566). Hrsg. von Johannes Bolte. Tübingen: Litterarischer Verein 1899 (BlV 217).

Martin Montanus, *Wegkürzer,* aus:
Martin Montanus. Schwankbücher.

Michael Lindener, *Katzipori*, aus:
Michael Lindeners Rastbüchlein und Katzipori. Hrsg. von Franz
Lichtenstein. Tübingen: Litterarischer Verein 1883 (BlV 163).

Michael Lindener, *Rastbüchlein*, aus:
Michael Lindeners Rastbüchlein und Katzipori.

Valentin Schumann, *Nachtbüchlein*, aus:
Valentin Schumanns Nachtbüchlein (1559). Hrsg. von Johannes
Bolte. Tübingen: Litterarischer Verein 1893 (BlV 197).

Bernhard Hertzog, *Die Schildwacht*, aus:
Martin Montanus. Schwankbücher.

Die Chronik der Grafen von Zimmern, aus:
Die Chronik der Grafen von Zimmern. Handschriften 580 und
581 der Fürstlich Fürstenbergischen Hofbibliothek Donaueschin-
gen. Hrsg. von Hansmartin Decker-Hauff unter Mitarb. von Ru-
dolf Seigel, Bd. 2. 3. Aufl. Sigmaringen: Thorbecke 1981.

Hans Wilhelm Kirchhof, *Wendunmut*, aus:
Wendunmuth von Hans Wilhelm Kirchhof, Bd. 1. Hrsg. von Her-
mann Österley. Tübingen: Litterarischer Verein 1869 (BlV 95).

Wolfgang Büttner, *Claus Narr*, aus:
Die komische und humoristische Literatur der deutschen Prosa-
isten des sechzehnten Jahrhunderts. Ausw. aus den Quellen und
seltenen Ausgaben, Bd. 1. Hrsg. von Ignaz Hub. Nürnberg: Eb-
ner 1856.

Bartholomäus Krüger, *Hans Clauert*, aus:
Hans Clawerts Werckliche Historien von Bartholomäus Krüger.
Abdruck der ersten Ausgabe 1587. Halle: Niemeyer 1882 (NdL 33).

Historia von Doktor Johann Faust, aus:
Historia von D. Johann Fausten. Text des Druckes von 1587.
Kritische Ausgabe. Mit den Zusatztexten der Wolfenbütteler
Handschrift und der zeitgenössischen Drucke. Hrsg. von Ste-
phan Füssel und Hans Joachim Kreutzer. Stuttgart: Reclam 1988
(UB 1516).

Das Lalebuch, aus:
Das Lalebuch. Nach dem Druck von 1597 mit den Abweichungen des Schiltbürgerbuchs von 1598 und zwölf Holzschnitten. Hrsg. von Stefan Ertz. Stuttgart: Reclam 1971 (UB 6642/43).

Die Schildbürger, aus:
Volksbücher des 16. Jahrhunderts. Eulenspiegel. Faust. Schildbürger. (Mit Beilagen aus Sprichwörtersammlungen und Chroniken). Hrsg. und erläutert von Felix Bobertag. Berlin, Stuttgart: Spemann o. J. (DNL 25).

Anhang

Zur Textgestaltung

Die beiden Bände sollen und können nicht den Anspruch kritischer Ausgaben erheben. Hauptanliegen der Einrichtung für den Druck war es, bequem lesbare Texte herzustellen, die nicht nur dem Fachmann, sondern auch dem Laien zugänglich sind. Angesichts der völlig unterschiedlichen Textvorlagen (kritische Ausgaben sowohl handschriftlicher als auch schriftlicher Überlieferung; ab dem 17. Jahrhundert vor allem Originale der gedruckten Überlieferung; Nach- und Neudrucke) wurde ein möglichst hoher Grad an Vereinheitlichung der Schriftzeichen und der Textgestaltung angestrebt, ohne dabei dem historischen Charakter der Textzeugen Gewalt anzutun. Offensichtliche Schreib- und Druckfehler der Vorlagen wurden stillschweigend verbessert. Die Zeichensetzung entspricht dem heutigen Gebrauch.

Übernahmen aus den Vorlagen:
- Orthographie;
- Unregelmäßigkeiten der Groß- und Kleinschreibung;
- *Y, y* ist neben und im Wechsel mit *i, I* und *j, J* beibehalten.

Veränderungen gegenüber den Vorlagen:
- *v* ist dort mit *u* wiedergegeben worden, wo es heutigem Schreibgebrauch entspricht;
- Abbreviaturen sind aufgelöst und durch heutige Buchstabenkombinationen ersetzt;
- das doppelte Divis ist durch einfaches Divis ersetzt worden;
- statt zweier Formen des Fraktur-*r* wird nur eine Form des Antiqua-*r* verwendet;
- *ů* ist durch *uo* ersetzt;
- *á* ist durch *ä* ersetzt;
- *ö* ist durch *ö* ersetzt;
- *ů* ist durch *ü* ersetzt;
- *ſ* ist durch *s* ersetzt;
- *ē* ist je nach Kasus zu -*em* oder -*en* aufgelöst;

- n̄ ist als Endung zu -nd oder als Verdoppelung *nn* aufgelöst;
- m̄ ist als Endung zu -mb oder als Verdoppelung *mm* aufgelöst;
- das Virgelzeichen / ist an den entsprechenden Stellen durch Komma ersetzt.

Textüberschriften:
Überschriften im heutigen Deutsch für mittelalterliche und frühneuzeitliche Texte sind durch den Herausgeber eingeführt. Das Inhaltsverzeichnis enthält immer nur diese Überschrift, während im Textteil auch die jeweils zum abgedruckten Text gehörende Originalüberschrift wiedergegeben wird.

Übersetzungen und Worterklärungen:
Den lateinischen und mittelhochdeutschen Texten ist jeweils eine vollständige Übersetzung, zumeist aus vorliegenden Ausgaben, beigegeben. Die frühneuhochdeutschen Texte haben jeweils am Ende eines Textes Worterklärungen.

Zu den epischen Merkmalen des Schwanks

Schwank – ein literarischer Begriff, der verschiedene Vorstellungen hervorruft und auf durchaus unterschiedliche Texte angewandt wird: Verserzählungen des Stricker und Knittelverse von Hans Sachs, *Eulenspiegel*-Historien und *Schildbürger*-Streiche, Geschichten voller obszöner und derber Späße, Anekdoten über witzige und närrische Leute, volkstümliche Ortsneckereien und mundartliche Possen, handfeste Theaterkomödien und klamaukhafte Fernsehspiele ...

Wir wollen uns hier auf die epische Erscheinungsform beschränken und die dramatische unberücksichtigt lassen, denn es geht uns um die erzählerische Gestaltung von Stoffen und Motiven, Figuren und Handlungsmustern, die sich bei aller Verschiedenheit der sie vermittelnden literarischen Genres doch auf den gemeinsamen Begriff ihrer zusammenfassenden Bezeichnung bringen lassen:

»Schwank, m. lustiger streich und erzählung eines solchen, nominalbildung zu schwingen, ursprünglich identisch mit schwang, [...] 1) besonders im älteren nhd. hat schwank vielfach noch einen etwas stärkeren sinn als heute >boshafter oder listiger streich, ränke, finten<. Diese verwendung geht wol auf die bedeutung >fechterstreiche< zurück [...]. 2) meist von einem komischen spaßhaften streiche zur belustigung und unterhaltung, oder possen, die man jemand spielt [...].«

Das Grimmsche Wörterbuch verweist auf den Ursprungsbegriff, mit dem seit dem 15. Jahrhundert jene Erzählungen bezeichnet werden, in denen es um »guote schwenck«, »kurtzweilige bossen«, »spaßige Zotten«, »tolle Schnurren« oder »launige Schrullen« geht und deren Figuren Streiche austeilen und im buchstäblichen wie übertragenen Sinne von solchen getroffen werden: facete factum. In den verschiedenen deutschen Dialektlandschaften haben sich dafür auch Ausdrücke erhalten wie *Snaak* (Ostfriesland), *Döntjes* (Niederrhein), *Vertellsel* (Münsterland), *Wippkes* (Bergisches Land), *Stückle* (Schwaben) oder *Schnergle* (Lothringen). Das 16. und vor allem das 17. Jahrhundert verwenden für diese Erzählungen auch synonyme deutsche Ausdrücke wie *Possen, Scherz, Schimpf* oder lateinische Begriffe wie *Facetia, Jocus, Cavillum* oder *Ludricum*.

Der Schwank hat eine stoffliche Vorliebe für den klerikalen sowie den dörflichen und städtischen Lebensbereich, außerdem für die Vitalsphären von Essen und Trinken, körperlichen Ausscheidungen und Sexualität. Darin schlägt sich gewiß kein besonders realistisches Verhältnis von Literatur zur Wirklichkeit nieder, sondern dies ist die Folge eines Erzählens, das Tabubrüche entlarven, Laster verspotten oder auch einfach nur komische Vorfälle in einer hochstilisierten Alltagswelt darstellen möchte. Die Szenerie eines Klostergartens, eines Bauernhofes oder eines Stadthauses ist nicht »realistischer« als das ritterliche Ambiente einer Burg in der höfischen Literatur. Jedesmal sind die Handlungskulissen und -orte hoch stilisiert, und Schwankliteratur

nimmt eben nur mit Vorliebe jene der nicht-höfischen Lebens-
welt aus Gründen der Stoff- und Motivwahl in den Blick. Vom
Alltagsleben der Bürger und Bauern erfahren wir aus den
Schwänken so wenig oder so viel wie von dem der Ritter aus den
Artusromanen oder des Altadels aus den Heldenepen.

Die einsträngige Handlung stellt zumeist ein lasterhaftes oder
törichtes Verhalten dar, durch das ein Konflikt verursacht wird.
Dieser wird durch List gelöst und endet in einer Pointe. Schick-
salhaftes Geschehen und überraschende Wendungen gehören
nicht zum Schwankgeschehen. Es gibt ein festes Motivrepertoire
von handlungsauslösenden Gegensätzen wie Dummheit und
Schlauheit, Geilheit und Verführung, Tugend und Laster
oder Einfalt und Betrug. Verkörpert werden solche Normen und
Werte, Eigenschaften und Befindlichkeiten durch zwei Par-
teien, die sich in einer Ausgangssituation gegenüberstehen.
Die eine befindet sich von vornherein auf Grund ihrer Stellung
oder ihrer Talente im Vorteil oder verschafft sich diesen. Der
wird dann durch eine überlegene Reaktion der anderen Partei
zunichte gemacht oder aber auch durch eine unüberlegte Reak-
tion der betroffenen Partei bestärkt. So wird entweder List
erwiesen oder bestätigt. Eigentliche Handlungsfreiheit besteht
nur scheinbar. In dieser linearen Steigerung der Handlung und
auch in der Erwartung besonders gewitzter oder derber Aktio-
nen liegt die Spannung, nicht aber in der Erwartung eines
innerhalb dieses Handlungsmusters völlig überraschenden Agie-
rens.

Wie das Märchen kennt der Schwank nur flächenhaft gezeich-
nete Figuren. Direkt werden sie charakterisiert durch fest-
stehende Epitheta. Indirekt werden sie durch ihre sozialen
Bindungen, ihre lokalen Ansässigkeiten und ihre besonderen
Handlungsweisen als episches Personal gekennzeichnet. Sie
haben überindividuelle, allgemeine Eigenschaften, und ihr Aus-
sehen wird nur schemenhaft angedeutet. Die Handlungsträger
sind – oft namenlose – typisierte Figuren, keine mit seelischen
oder psychischen Eigenschaften episch ausgestaltete Individuen:
Vertreter von Geburtsständen (z. B. Adelige oder Bauern) oder

Berufsständen (z. B. Kaufleute, Handwerker, Geistliche, Advokaten oder Wirte), Repräsentanten bestimmter sozialer Rollen (z. B. Eheleute, Jungfern, Buhlen, Hahnreie, Schälke oder Narren), Charaktertypen lasterhafter Eigenschaften (z. B. Eifersüchtige, Geizige, Gierige, Neidische, Lüsterne oder Toren) und Verhaltensweisen (Prahler, Betrüger, Realitätsblinde, Lügner oder Scheinheilige). Auch die Angehörigen von Glaubensgemeinschaften oder Volksstämmen sind durch Stereotype geprägt: Juden sind geizig und habgierig, Bayern sind grob und trinkfest, Schwaben sind listig und behende, Ostfriesen sind realitätsblind und dumm. In wechselnden Kostümen treten solche Figuren immer wieder auf und geraten auf Grund ihrer gegensätzlichen Absichten und widersprüchlichen Handlungsweisen in komische Konflikte: boshafter Schalk und geiziger Handwerker, dummer Bauer und pfiffiger Student, schlauer Bauer und verfressener Mönch, eitler Junker und kluge Jungfrau, betrügerischer Wirt und schlitzohriger Handwerksgeselle, armer Landfahrer und reicher Kaufherr, alter Hahnrei und junger Buhle, geiler Pfaffe und lüsterne Ehefrau... Was immer wir über dieses Personal erfahren, wird allein durch das immer gleiche Handlungsmuster und die stereotypen Eigenschaften und Verhaltensweisen der Protagonisten vermittelt: Die scheinbar schwächere Partei kehrt mittels List ihr Unterlegenheitsverhältnis in sein Gegenteil um und triumphiert am Ende. Und aus dem, was man gleichsam als ein Gattungsgesetz bezeichnen kann, dem naturgegebenen oder inszenierten Gegensatz, entwickelt sich die Komik: Situationskomik, Figurenkomik, Sprachkomik. Die lustigen Streiche entwickeln sich in diesen Spannungsverhältnissen sozialer, charakterlicher und geistiger Unterschiede in oft absurden und grotesken Handlungszusammenhängen.

Die stilisierten Handlungskulissen für den mittelalterlichen Schwank liefern immer wieder Klosterzellen und Kirchhöfe, Bauernscheunen und Bürgerstuben. Und wo es um Ortsneckereien geht, leihen »Narrengemeinden« wie Mündingen oder Bopfingen, Gersau oder Polkwitz zu Beglaubigungszwecken

ihr Lokalkolorit. Auch die gelegentlich zu findenden Zeitanga-
ben dienen solchem augenzwinkernden Anspruch auf Glaub-
würdigkeit. Im Grunde spielen Schwänke jedenorts und jeder-
zeit mit jedermann. Und deshalb konnten sie auch in unzähligen
Variationen immer nach- und neuerzählt werden und über Jahr-
hunderte hinweg in immer neuen Sammlungen und Zyklen
auftauchen oder ihre Stoffe und Motive immer wieder für die
unterschiedlichsten Dichtungen zur Verfügung stellen.

Reale historische Konturen allerdings nehmen Schwankhelden
da an, wo schwankhafte Geschichten von bekannten Persönlich-
keiten in anekdotenhafter Absicht erzählt werden, um authenti-
sche Beispiele besonderen Witzes oder bemerkenswerter Schalk-
heit zu überliefern.

An das Verhalten seiner Helden legt der Schwank ursprüng-
lich keine ethischen Maßstäbe an, vermittelt im Handlungser-
gebnis keine Moral, formuliert keine Handlungsanweisungen.
Einem Schwank wie dem vom *Schneekind* geht es nicht um die
Verwerflichkeit des Ehebruchs oder die Unmenschlichkeit des
Kindsverkaufes, sondern es geht um die Listhandlung, in der ein
Betrüger den anderen übertrumpft. Die Sprachkomik der Poin-
te, die wegen einer Bezeichnung das Bezeichnete von der Sonne
schmelzen läßt, nimmt der Darstellung das Entsetzliche und
Bedrohliche. Daß moralische Werte und soziale Normen hier
von den Schwankfiguren verletzt werden, daß sich falscher
Schein selbst bestraft, gibt der Schwank unkommentiert dem
Gelächter preis. So entlarvt der Schwank als »conte à rire«
(Joseph Bédier) mittels Komik Tabuverstöße, Verletzungen sitt-
licher und sozialer Konventionen und gestattet Freude und Scha-
denfreude an List und Betrug, ermöglicht das befreiende und
entlastende Lachen mit den und über die Schwankhelden, die in
der Gegenbildlichkeit einer oft »Verkehrten Welt« als die ständi-
schen Außenseiter und gesellschaftlich Unterprivilegierten am
Ende über Mächtige und Herrschende triumphieren.

Grobes und Derbes, Zotiges und Obszönes gehören zum
Erzählstil und zur Darstellungswelt des Schwanks. Deshalb wird
man den Schwank des 15. und 16. Jahrhunderts aber schwerlich

etwa für ein zivilisationsgeschichtliches Dokument größerer Unbefangenheit gegenüber Sexualität oder Skatologie halten dürfen oder für ein historisches Zeugnis freizügigen Geschlechtslebens, das gelegentlich aus bildlichen Darstellungen »altdeutscher Badestuben« herausgedeutet wird. Auch nicht für erotische Dichtung, die zu frivolen Vorstellungen und sinnlichem Treiben stimulieren möchte. Die Deutlichkeit, mit der Körperlichkeit und Triebhaftigkeit dargestellt sind, ist in erster Linie ein erzählerisches Mittel, das mit Spott oder auch Hohn sexuelle Bedürfnisse und erotische Befindlichkeiten dann dem Gelächter preisgibt, wenn törichte und lasterhafte Liebesnarren Normen mißachten und Ordnungen verletzen.

Nun wird der Sinn von Ordnung durch nichts so eindrucksvoll bewiesen wie durch jenen fiktional-spielerischen Umgang mit ihr, der sie nur scheinbar aufhebt, nämlich nach den Gattungsgesetzen des Schwanks eben und nur auf dessen fiktionaler Handlungsebene. Der Schwank macht damit nicht nur das komische Vergnügen an Witz und Schlauheit möglich, sondern auch das Amüsement über die Bedrohlichkeit boshafter List und schlimmen Betrugs – und will zugleich auch davor warnen. Der Schwankheld, der die Ordnung attackiert, fordert diese heraus, und ihre Repräsentanten schlagen zurück, und wenn diese dabei unverhältnismäßig oder erfolglos reagieren, macht sie just diese Reaktion selbst zu Narren und Toren. Das Lachen darüber freilich sanktioniert nicht Chaos und Anarchie, sondern quittiert die Komik grotesker und burlesker actio und reactio.

Bei aller Zeitkritik und allem Lastertadel will der Schwank freilich auch dem Hörer und Leser das Lachen ermöglichen: das befreiende und unterhaltende Lachen. Durch das Lachen indes wird auch die Ordnung, die durch ein lasterhaftes, närrisches Verhalten verletzt wurde, wieder hergestellt. Das Komische und Lächerliche heben eben auch die Fragwürdigkeit und die Hinfälligkeit mancher Ordnungen erst ins Bewußtsein. Und dies ist eine Wirkung, die jenseits aller historischer Gebundenheit von Entstehungsumständen und zeitlichen wie geographischen Verbreitungsräumen, Stoffen und Motiven dem Schwank als zeitlose Funktion eignet. Ungeniertheit und Unbotmäßigkeit, Spontaneität und Widerstandsgeist, normwidriges und furchtloses Verhalten mancher Schwankhelden hat gewiß zu ihrer Langlebigkeit entscheidend beigetragen. Die fiktive Mißachtung von Ordnungen und die Verletzung von Tabus kann befreiend oder entlastend wirken, und der Hörer und Leser kann die überlegene Rolle des letztlich triumphierenden Schwankhelden einnehmen; zumal dann, wenn damit noch die Schadenfreude über einen sozial Höherstehenden oder einen herrischen Machtrepräsentanten verbunden ist. Der Schwankheld wird dann zu einem Stellvertreter, der mit Witz und Überlegenheit persönliche und gesellschaftliche Zwänge überwinden kann, und avanciert zu einer Identifikationsfigur – wie Till Eulenspiegel beispielsweise.

Zur Geschichte der deutschen Schwankliteratur bis ins 16. Jahrhundert

Es ist diese epische Struktur, d. h. die Listhandlung, die als Hauptmerkmal schwankhaften Erzählens, eine der ältesten Erzählweisen überhaupt, gelten kann. Formen solchen schwankhaften Erzählens finden wir schon in den Mythen früher Hochkulturen und in griechischen Göttersagen wie derjenigen vom Ehebruch zwischen Ares und Aphrodite, in den Jakob-Geschichten des *Alten Testaments,* in der Polyphem-Episode von Homers *Odyssee,* in Erzählungen Herodots über einen Meisterdieb. Und schwankhafte Episoden finden sich in lateinischen Epen wie beispielsweise dem *Cantus de uno bove,* den Streichen des Bauern Einochs (10./11. Jahrhundert), im *Ruodlieb* (um 1050) oder dem Tierepos *Ysengrimus* des Nivardus von Gent (um 1150). Und auch die mittelhochdeutsche Epik kennt im 12. und 13. Jahrhundert schwankhafte Motive, etwa in den Rätselfragen in *Salman und Morolf* (um 1160), in den Listen der Titelfigur des *Reinhart Fuchs* (nach 1192), in der Brautnacht von Gunther und Brünhild im *Nibelungenlied* (um 1200), in der Episode vom betrogenen Ehemann auf dem Baum in Gottfrieds von Straßburg *Tristan* (um 1200/10) oder der Ehebruchsgeschichte im *Moriz von Craun* (um 1210). Textliche Eigenständigkeit gewinnt schwankhaftes Erzählen in der deutschsprachigen Literatur – vergleichbar den französischen Fabliaux oder den italienischen Novelle – zuerst in den paarweise gereimten Verserzählungen, die zu einem Epos wie Strickers *Pfaffe Amis* (um 1240) zyklisch verbunden sind oder die in Form kürzerer und in sich geschlossener Verserzählungen dem Schwank erstmals jene literarische Eigengestalt geben, für die sich dann mit dem Aufkommen der Prosaform die Bezeichnung *Schwank* einbürgert. Diese Erzählweise und ihre epische Kurzform nimmt sowohl in eigenständigen Texten als auch in Episoden und Kapiteln von Zyklen und Romanen Gestalt an. Als Exemplum und Märlein dient sie vor allem im 17. Jahrhundert geistlicher Literatur zur Veranschaulichung moralischer Lehren und zur abwechslungsreichen Unterhaltung in der Predigt. In den zahllosen verschiedenartigen Erzählsammlungen des 17. und 18. Jahrhunderts übernehmen Historien, Lügengeschichten, Anekdoten und immer wieder Witze bekannte Schwankmotive und Schwankhandlungen und reduzieren schwankhaftes Erzählen oft nur noch auf seine Pointe. Der Schwank als eigentliche selbständige Erzählform hat seine lange literarische Blütezeit zwischen dem 13. und 17. Jahrhundert. Danach finden sich seine Strukturen und Elemente in einer Reihe epischer Kurzformen, die dadurch zu schwankhaften Texten werden und sich in Kalendern, volkstümlichen Geschichtensammlungen und auch im Erzählwerk einzelner Autoren des 19. und 20. Jahrhunderts gelegentlich finden. Daneben existiert eine reiche mündliche Erzähltradition, die vor allem in den vielen mundartlichen und landschaftlichen Schwanksammlungen seit dem 19. Jahrhundert aufgezeichnet und bis heute in verschiedenen Ausgaben immer wieder neu vorgelegt wurde.

Die Schwanküberlieferung setzt in der deutschen Literatur mit lateinischen Textzeugen ein. Einen »Schwabenstreich« erzählt *Das Schneekind,* dessen frühester lateinischer Beleg in einer Wolfenbütteler Handschrift des 10. Jahrhunderts nach der (nicht erhaltenen) Melodie *Modus Liebinc* betitelt und noch in mehreren anderen lateinischen Codices überliefert und in moralisch-lehrhafter Absicht bearbeitet worden ist. Nach Volker Schupp soll Bischof Heribert von Eichstätt der Verfasser des lateinischen Originals sein. Dieser Schwank gehört zu den am weitesten verbreiteten, und er hat später deutsche Bearbeitungen u. a. als *Des snewes sun* durch eine Wiener Handschrift (13. Jh.), als *Glacies Y ßschmarr hieß das Kind* durch Johannes Pauli (1522), als Meisterlied *Der eyszapf* durch Hans Sachs (1536) oder als *Von einem Kauffmann und seinem Weib* durch Burkhard Waldis (1548) erfahren.

Daß wir schriftliche Zeugen der Schwanküberlieferung des deutschen Sprachraums zuerst in lateinischen Texten von Geistlichen finden, liegt zunächst daran, daß die lese- und schreibkundigen clerici des frühen Mittelalters fast die einzigen waren, die überhaupt Text aufzeichnen und sachgerecht aufbewahren konnten. So sind eingestreut in die klösterliche Erzählliteratur der Chroniken, Legenden oder Viten auch immer wieder erheiternde schwankhafte Geschichten. Die kleinen Episoden prangen Laster wie Geiz und Wucher, Heuchelei und Habgier an und brachten damit als gleichnishafte Exempel christliche Glaubens- und Lehrsätze näher und würzten zugleich die Darstellung. Die lateinische Sprache machte diese Schwänke zur internationalen Literatur, die im ganzen christlichen Abendland verbreitet und immer wieder neu aufgezeichnet und bearbeitet wurde.

Frühe Beispiele dafür haben Mönche des St. Galler Benediktinerklosters geliefert. Etwa Notker Balbulus in der Biographie Karls des Großen, den *Gesta Karoli* (883). Um 1050 verfaßte Ekkehard IV. (um 980 bis um 1060) die Klosterchronik *Casus Sancti Galli*, die ebenfalls Klosterschwänke enthält, in denen neben der belehrenden auch die unterhaltende Absicht und die Fabulierlust spürbar sind. Typisch dafür die Episode, wo Ekkehard mit geradezu eulenspiegelhaftem Wortwitz einen Betrüger entlarven läßt, damit die Sünde des Jähzorns anprangert und Leichtgläubigkeit und Wunderheilungen verspottet, vor allem aber damit die Güte des nach einem Reitunfall von der Abtwürde zurückgetretenen Ekkehard I. kontrastierend hervorhebt.

In weit mehr als 200 Handschriften vor allem aus Deutschland, England und Frankreich sind die *Gesta Romanorum* seit 1342 verbreitet, deren Geschichten in zahllosen Sammlungen aufgenommen und von vielen Autoren weiter bearbeitet wurden. Die Begebenheiten aus der römischen Geschichte, die teilweise auch in schwankhafter Form erzählt werden, dienten gleichermaßen der erbaulichen Belehrung wie der kurzweiligen Unterhaltung. Damit erfüllten sie den gleichen Zweck wie die sog. Predigtmärlein im *Dialogus de miraculis* (um 1200) eines Caesarius von Heisterbach, in den *Sermones vulgares* und den *Sermones cummunes* (1227/40) eines Jacques de Vitry oder in der *Summa praedicantium* (etwa 1400) eines John Bromyard, mit denen traditionell am Neujahrstag oder nach der Fastenzeit zu Pfingsten die Predigten aufgelockert wurden und die jenes berühmte »risus paschalis« hervorriefen. Aus Quellen des 13. Jahrhunderts schöpfen die seit dem späten Mittelalter in mehreren Drucken überlieferten *Mensa philosophica* (Erstdruck 1479/80) eines anonymen Autors, der über Inhalt und Art von Tischgesprächen unterrichten will. Ihr vierter Teil, *De honestis jocis,* ist eine ständisch geordnete Kompilation schwankhafter Anekdoten und Facetien, die vor allem auch herbe und deftige Klerikerschelte betreiben.

Mit dem 13. Jahrhundert setzt die deutschsprachige Überlieferung ein. Etwa ab 1200 nimmt die deutsche Schwankliteratur Welt und Mensch auf eine andere Weise in den Blick, liefert andere Ausschnitte von Welt und andere Bilder vom Menschen, als dies die idealisierende ritterlich-höfische Literatur in Heldendichtung, Minnesang oder Artusepik tut. Nicht ritterliche Tugenden und höfische Ideale stehen im Mittelpunkt, sondern die Klugheit, die in Form von listiger Überlegenheit oder schlauem Betrug von Schelmen und Schurken, Geliebten und Gesellen virtuos und rigoros zur Vorteilsnahme gehandhabt wird.

Etwa um 1240 schafft ein fahrender Berufsdichter, der sich selbst mit einem Pseudonym Stricker (vor 1250) nennt (und damit wohl metaphorisch seine dichterische Tätigkeit umschreibt) die erste deutschsprachige Schwankdichtung, das Epos vom *Pfaffen Amis*. Der Titelheld ist ein englischer Geistlicher, dessen Biographie in zwölf schwankhaften Verserzählungen berichtet wird. Als reicher und gastfreier Pfaffe erregt Amis den Neid seines Bischofs, der ihm seine Pfründe abnehmen will, wenn er eine Prüfung nicht besteht. Der scholastischen Spitzfindigkeit der Fragen begegnet Amis aber mit entwaffnender Konkretheit. Danach zieht Amis in die Welt hinaus, um die Toren aller Stände mit deren eigener Leichtgläubigkeit zu prellen. Die Titelfigur ist zum Prototyp späterer Schwankhelden geworden. Die Episoden der Bischofsprüfung, des Eselsunterrichts, des unsichtbaren Gemäldes, der Heilung der Kranken im Spital und der Scharlatanerie mit dem angeblichen Totenkopf St. Brandans sind auch Quellen für spätere *Eulenspiegel*-Historien geworden. Schon Amis weist die für Schälke der Schwankepen und -romane so typische Ambivalenz von skrupelloser Boshaftigkeit und witziger Schläue auf.

Der Stricker ist einer der wenigen bekannten Autoren jener im 13. Jahrhundert aufkommenden Versschwänke, für die sich die umstrittene Bezeichnung Märe eingebürgert hat. Die meisten Dichter bleiben anonym oder verstecken sich hinter Pseudonymen wie jener Niemand, der *Die drei Mönche von Kolmar* (14. Jh.) verfaßt hat. Von namentlich genannten Autoren wie Hans Schneeberger, Jacob Appet, Jörg Zobel, Hermann von Fressant, Fröschel von Leidnitz oder dem Freudenlosen, dem Verfasser der *Wiener Meerfahrt,* wissen wir nichts. Von anderen wie Heinrich Kaufringer nur, daß sie Stadtbürger waren. Von Herrand von Wildonie, der im dritten Viertel des 13. Jahrhunderts urkundlich bezeugt ist, weiß man, daß er sich als Ministeriale nach seiner bei Graz gelegenen Stammburg genannt hat und Verfasser überlieferter vier Verserzählungen und dreier Minnelieder ist. Relativ gut Bescheid weiß man über Leben und Werk von Hans Rosenplüt und Hans Folz. Hans Rosenplüt (um 1400 bis nach 1449), genannt der Schnepperer, lebte als Büchsenmacher und Zeitgenosse von Hans Folz in Nürnberg. Rosenplüt hat ein relativ umfangreiches Werk hinterlassen, zu dem neben Meisterliedern,

Fastnachtspielen, Priamlen, Reimreden, Spruchgedichten auch einige Versschwänke gehören. Er ist ein wichtiger Vorläufer von Hans Sachs (1494 bis 1576), zu dessen umfangreichem Werk auch zahlreiche schwankhafte Spruchgedichte gehören, für die der vierhebige Paarvers typisch ist.

Auf Grund der spärlichen Quellen und der Hinweise in den Werken selbst darf man wohl annehmen, daß die meisten dieser »Mären«-Dichter dem städtischen Lebensbereich angehören, der beispielsweise bei Konrad von Würzburg auch zur Herkunftsbezeichnung wird. Der steirische Ministeriale Herrand von Wildonie (um 1230 bis um 1280) bildet hier eine der wenigen bekannten Ausnahmen. Erst mit dem 16. Jahrhundert nimmt die Zahl der namentlich bekannten Dichter auf Grund eines sich allmählich wandelnden Autorenverständnisses zu. Der Autor tritt nicht mehr vollständig hinter Wort und Werk zurück, sondern artikuliert sich zunehmend als Person und Individuum und gibt sich offen oder in Akrosticha verschlüsselt zu erkennen. Auch über die soziale Stellung vieler Schwankautoren sind wir in dieser Zeit besser orientiert, weil Titelblätter und Vorreden der jetzt gedruckten Werke über Stand und Beruf Auskunft geben. Schwankautoren, das sind in erster Linie Angehörige des Stadtbürgertums: Kleriker verschiedener Konfessionen, Stadtschreiber, seßhaft gewordene Landsknechte, Mitglieder von Universitäten, Handwerker und vor allem Angehörige des sich entwikkelnden und prosperierenden Druck- und Buchgewerbes.

Von Hanns Fischer stammt ein Katalog von 220 unzusammenhängenden, selbständigen epischen Erzählungen im Umfang zwischen 150 und 2000 Reimpaarversen, die oft mit anderen, verschiedenartigen Texten in Sammelhandschriften des 14. und 15. Jahrhunderts überliefert sind. Eine Fülle der von Fischer sogenannten und katalogisierten *Mären* sind ihrer Erzählstruktur, ihres Personals und ihrer Intention nach Schwänke. Dieses literarische Genre ist Teil einer Literatur, die sich in ganz Europa ausgebreitet und sich auch wechselseitig beeinflußt hat und zu deren bekanntesten Werken Giovanni Boccaccios *Decamerone* (1348/53), Francesco Sacchettis *Trecento novelle* (um 1380), Gian

Francesco Poggio Bracciolinis *Liber Facetiarum* (1452), Geoffrey Chaucers *Canterbury Tales* (1387/1400) oder die *Cent nouvelles nouvelles* (1456/61) gehören.

Die Handlung dieser Versschwänke ist zu Beglaubigungszwecken zumeist lokalisiert, und der auktoriale Erzähler formuliert am Ende oft eine moralisierende Belehrung, ein Epimythion. Welche Funktion diese explizit formulierte moralische Nutzanwendung als Didaxe gehabt haben mag, ob sie ethisches Anliegen oder nur opportunistisches Alibi war, läßt sich nicht mit Sicherheit sagen. Das Epimythion gibt manchmal auch nur vor, die gestörte Ordnung wiederherzustellen, und die Schwankerzählung gipfelt deshalb, wie etwa in der Moralsentenz des *Schneekindes,* in einer zweiten Pointe und nutzt die Form des Epimythions für satirische Konterbande. Besonders Burkhard Waldis (um 1490 bis 1556), ein satirisch-polemischer Schriftsteller der Reformation, der als ehemaliger Franziskaner mit dem lateinischen Schwankgut bestens vertraut war, schätzt solche Epimythien. Er gibt 1548 unter dem Titel *Aesopus* eine an den römischen Fabeldichter Äsop angelehnte Sammlung mit mehr als 400 gereimten Fabeln heraus, von denen viele schwankhafte Erzählstruktur besitzen und obszöne Schwankmotive enthalten.

Die meisten dieser Versschwänke haben es mit dem Geschlechterverhältnis oder Kriminalfällen zu tun. Immer wieder kreisen die Geschichten der auktorialen Erzähler um listige Ehebrüche und deren Tarnung und um die Versuche wechselseitiger Unterdrückung und die Anwendung von brachialer Gewalt oder listenreiche Diebstähle und Betrügereien. Die dialogisch-szenische Erzählweise kommt rasch zur Sache, wenn sie unverblümt die mehr oder minder erfolgreichen Bemühungen um sexuellen Lustgewinn schildert. Zahlreiche Motive kennen wir schon aus den Fabliaux oder Boccaccios *Decamerone* und finden sie wieder etwa in Shakespeares *Taming of the Shrew,* den Hanswurstiaden oder Jacques Offenbachs Operetten. Im Mittelpunkt steht oft die bösartige Frau oder das triebhafte und sexuell unersättliche Weib. Ihre Jugend und ihre Schönheit, ihre Lüsternheit und ihre Schamlosigkeit sind die toposartigen Klischees, die sie zur verführten Verführerin oder zur verführenden Verführten machen. Weiblicher List und Falschheit geht der Mann auf den Leim und wird als Hahnrei oder auch als zurückgewiesener Buhle verspottet. Der Allgewalt der verführerischen Macht der Frau erliegen die Männer, und umgekehrt lassen sich die Frauen ohne Umschweife von potenten und oft auch reichen Buhlen zu Lustgewinn im doppelten Sinne überreden. Dabei gehört die Sympathie des Erzählers in den meisten Fällen dem Ehebrecher, der dem dummen Ehemann die Hörner aufsetzt. In all den vielen Ehebruchschwänken wird indes die Institution Ehe nie in Frage gestellt. Fast stets wird dabei auch kräftig Ständesatire vermittelt, wenn die Sünden des Klerus, die Einfalt der Bauern, die Torheiten des Adels oder schlimme Praktiken verschiedener Berufe durch List entlarvt und bestraft – und damit auch angeprangert werden.

Gegen Ende des 15. Jahrhunderts setzt mit dem aufkommenden Buchdruck eine literarische Entwicklung ein, die episodenhafte Versschwänke in der Tradition von Strickers *Pfaffen Amis* wieder episch zu Zyklen bzw. Romanen verknüpft bzw. ursprünglich handschriftlich überlieferte Epen mit schwankhaften Elementen nachgedruckt wie *Frag und Antwort Salomonis und Marcolfii* (1483), *Bruder Rausch* (1488) oder *Reynke de Vos* (1498). Der älteste Druck von *Des Pfaffen Geschicht und Histori vom Kalenberg* erschien 1473 in Augsburg und wurde im 16. und 17. Jahrhundert noch mehrmals nachgedruckt. Der Verfasser nennt sich Philipp Frankfurter und ist zwischen 1486 und 1507 urkundlich in Wien bezeugt. Sein Zyklus soll auf mündlich überlieferte Schwänke zurückgehen, in deren Mittelpunkt Gundaker von Thernberg, der historische Pfarrherr von Kalenberg bei Wien steht. Der Titelheld ist ein kluger und einfallsreicher Geistlicher. Die einzelnen Geschichten spielen in der bäuerlichen Welt des Dorfes Kalenberg und am Habsburger Hofe Herzog Ottos des Fröhlichen von Österreich (1301 bis 1339), und in ihnen scheinen erstmals studentische und universitäre Verhältnisse sowie die Welt der Hofnarren stilisiert auf. Die Streiche, die der Pfaffe den Bauern wie der höfischen Gesellschaft spielt, verschaffen dem listigen Helden stets intellektuelles Ansehen, aber auch materiellen Gewinn. Dabei spart der Erzähler in den Dorfschwänken und in den Hofschwänken nicht an satirischen Seitenhieben auf soziale Mißstände oder persönliche Laster. Anspielungen auf diesen Schwankzyklus enthält auch jener von *Neithart Fuchs* (ca. 1491/97). Der unbekannte Kompilator hat auf verschiedene Sammlungen und Spiele des 14. und 15. Jahrhunderts zurückgegriffen, in denen der Sänger Neidhart von Reuental aus dem 13. Jahrhundert als typisierter Bauernfeind die »dörper« verhöhnt und verprügelt. Am Anfang dieser Feindschaft zu den Bauern steht die Schmach, die Neithart erleiden muß, als ihm die Bauern beim Brauch, das erste Frühlingsveilchen zu suchen, einen üblen Streich spielen. Neben Motivausleihen für den *Neidhart Fuchs* und den *Eulenspiegel* hat der *Pfaffe vom Kalenberg* auch noch das letzte wichtige Schwankepos im 16. Jahrhundert beeinflußt: *Histori Peter Leuen, des andern Kalenbergers.* Der Verfasser dieses 1558 erschienenen gereimten Schwankromans ist Achilles Jason Widmann (um 1530 bis vor 1585), Justitiar in seiner Vaterstadt Schwäbisch-Hall. Auch für diesen Schwankhelden existierte angeblich ein reales Vorbild, nämlich Ende des 15. Jahrhunderts der Haller Kaplan Peter Düssenbach, von dem zahlreiche Schwänke im Umlauf waren. Peter Leu ist ebenfalls ein schlauer und gewitzter Schwankheld, der alle Register der Übertölpelung beherrscht. Aber seine harmlosen Streiche verletzen die Ordnung nicht mehr, provozieren keine überlieferten Werte und Normen, sondern wollen nur noch mit ihren heiteren Vorfällen auf lustige Weise entspannen und damit einer schlimmen Krankheit, die dem Mittelalter gar als sündhaft galt, vorbeugen: der Melancholie. Und wer lacht, der öffnet das Ventil, durch das die Schwermut sich verflüchtigen kann.

Über das Publikum der Versschwänke und Schwankepen wissen wir noch weniger als über deren Autoren. Aus Hinweisen auf Besteller und Mäzene von Sammelhandschriften und inhaltlichen Anspielungen in den Drucken geht hervor, daß die Besitzer und die Hörer bzw. Leser solcher Schwankliteratur wohl in erster Linie im Adel zu suchen sind und nicht überwiegend etwa im städtischen Patriziat, das erst im 16. Jahrhundert stärker als Literaturpublikum in Erscheinung tritt und in seinen Lebensformen und kulturellen Bedürfnissen ohnehin eher am Adel orientiert war. Im Zusammenhang mit den Versschwänken von »bürgerlicher Literatur« zu reden, dürfte deshalb verfehlt sein. Auch weil in diesen Schwänken nichts von einem »bürgerlichen Geist« oder einer »bürgerlichen Welt« zu spüren ist. Wenn der stilisierte Tatort und sein typisiertes Personal als Rechtfertigung literarhistorischer Kennzeichnung dienen, dann könnte man mit gutem bzw. schlechtem Grund auch von »bäuerlicher Literatur« oder auch von »klerikaler Literatur« reden. Auch schwankhafte List oder Klugheit als spezifisch »bürgerliche« Tugend auszugeben, führte fehl, da damit Vorstellungen bürgerlicher Fähigkeiten, wie sie das 18. oder 19. Jahrhundert hervorgebracht hatten, auf das Spätmittelalter projiziert würden. Auch die Unterstellung, die Schwankdichtung des Spätmittelalters sei womöglich anti-feudal oder anti-höfisch gewesen, läßt zum einen außer acht, was über Auftraggeber und Publikum bekannt ist, und hält es zum anderen für unmöglich, daß sich ein adeliges Publikum über lustige und gut erzählte Geschichten auch dann amüsieren konnte, wenn darin hagestolze Junker oder trottelige Ritter auftraten. Schließlich wollten die Autoren womöglich gar nur gute Geschichten liefern, jenseits aller Sozial- und Ideologiekritik.

Der Übergang vom Vers zur einfacheren Prosa, der im 15. Jahrhundert bereits den Abfassungsmodus der Romanliteratur entscheidend verändert hatte, setzt in der deutschsprachigen Schwankliteratur erst im 16. Jahrhundert ein. Und wie schon am Beginn der schriftlichen Überlieferung bilden auch hier die lateinischen Texte den Anfang. Es waren die Humanisten, die an feingeschliffenem Wortwitz und pointierten Geschichten Gefallen fanden, an den Facetien. Die Bezeichnung kommt vom lateinischen *facetus* (anmutig, launig, witzig), und sie macht deutlich, daß der Witz des Erzählten in seiner sprachlichen Pointe liegt, im facete dictum. Die Facetien lassen Bauernschläue und Mutterwitz, Ironie und Scharfsinn über Dummheit und Aberglauben, Eitelkeit und Stolz triumphieren. Der Konstanzer Konzilsdiplomat und päpstliche Schreiber Gian Francesco Poggio Bracciolini (1380 bis 1459) war ein Meister dieser Gattung. 1470 erschien sein *Liber facetiarum,* das zu einer wahren Fundgrube für deutsche Autoren wie Heinrich Steinhöwel und Sebastian Brant wurde. Der erste, der im deutschen Sprachraum Facetien zweisprachig verfaßte, war Augustin Tünger (1455 bis nach 1486), Prokurator des Konstanzer Bischofs. 1486 vollendete er seine Sammlung *Facetia. Latinae et germanicae,* die er für seinen württembergischen Landesherrn, den Grafen Eberhard im Barte, geschrieben hatte. Weil sein Auftraggeber nicht Latein konnte, übertrug Tünger jede der 54 Facetien im Anhang ins Deutsche. Gedruckt wurde die Sammlung erst 1874. Auch der zweite bedeutende deutsche Facetien-Autor, der Tübinger Humanist und Dichter eines umfangreichen neulateinischen Werkes, Herausgeber einer großen deutsch-lateinischen Sprichwortsammlung, Heinrich Bebel (1472 bis 1518), hat bei Tünger Anleihen genommen. Die beiden ersten Bücher seiner Facetien-Sammlung erschienen 1508 zusammen mit den Sprichwörtern unter dem Titel *Libri facetiarum iucundissimi atque fabulae admodum ridendae* (Bücher der scherzhaftesten Facetien und dazu durchaus belachenswerte Fabeln). 1512 wurde das dritte Buch *Opuscula nova* (Neues Werklein) gedruckt. Erst 1588 wurde die erste deutsche Übersetzung *Die Geschwenck Henrici Bebelii sampt einer Practica* eines Unbekannten veröffentlicht. Bebels Facetien wurden bis ins 18. Jahrhundert mehrmals neu gedruckt, und einzelne Stücke sind in deutscher Fassung in vielen anderen Schwanksammlungen zu finden. Als geistreiche und satirische Gelehrtenliteratur lebt die Facetie bis ins 17. Jahrhundert vor allem in Universitätskreisen durch Autoren wie Johann Gast, Nikodemus Frischlin, Julius Wilhelm Zincgref oder Otho Melander weiter.

Die Ablösung der Versdichtung als vorherrschender Ausdrucksform durch die Prosa und die wachsende Bedeutung der Volkssprache als Literatursprache begünstigten auch die weitere Entwicklung des Schwankes. Im Gegensatz aber zur höfischen Versepik kennen wir kaum in Prosa aufgelöste deutsche Versschwänke. Wohl aber stehen auch am Beginn des deutschsprachigen Prosaschwankes Übersetzungen und Übernahmen aus fremdsprachigen Quellen. Eigenständige deutsche Prosaliteratur auf dem Gebiet des Schwanks existierte um 1500 nicht, sondern nur jene deutschen Texte, die die humanistischen Autoren aus antiken, französischen und italienischen Vorlagen hergestellt hatten. Die Fabel- und Schwanksammlung des Ulmer Stadtarztes Heinrich Steinhöwel (1412 bis 1482 oder 1483), *Esopus* (1474), enthält so eine Reihe von Poggios Schwänken, die auf diese Weise wiederum von anderen Schwankautoren als Quellen benutzt wurden.

Erleichtert wurde dieses Verfahren vor allem durch den Buchdruck und die wachsende massenhafte Verbreitung von Schwankbüchern seit der Mitte des 16. Jahrhunderts. Die Zahl der Schwankbücher der folgenden drei Jahrhunderte ist unüberschaubar, und die wechselseitigen Einflüsse und Abhängigkeiten gehören zum Kennzeichen dieser Literatur. Viele der Schwankbücher weisen in Titeln oder Vorreden auf ihren kompilatorischen Charakter hin und fordern ausdrücklich zum Weitererzählen oder zum Neuerzählen ihrer Geschichten auf. Ein umfangreicher Grundbestand von Schwankstoffen und -themen und auch von einzelnen Motiven bildet sich so im Laufe des 16. Jahrhunderts in den Schwankbüchern heraus, für die Autoren des 17. und 18. Jahrhunderts ein schier unerschöpfliches Reservoir, dem wir in den immer wiederkehrenden Bearbeitungen und Nachgestaltungen begegnen. Wirksamer urheberrechtlicher Schutz entwickelte sich erst seit dem späten 18. Jahrhundert, und so konnte, den Druckprivilegien auf den Titelblättern zum Trotz, mit kleinen textlichen Veränderungen ungehindert nach- und neugedruckt werden. Auch die mündliche Überlieferung wird das Ihre zu dieser »Vernetzung« der Schwankliteratur beigetragen haben. Bei der außerordentlich hohen Quote von Analphabeten (sie lag bis zum 18. Jahrhundert gewiß über 90 %) sind die Schwankbücher natürlich auch immer wieder vorgelesen worden, haben so die mündliche Verbreitung begünstigt, die ihrerseits wieder die schriftliche Überlieferung beeinflußt und damit zum Kreislauf und Umlauf der Schwanktradition beigetragen und die Wanderungen von Stoffen und Motiven begünstigt hat.

Das 16. Jahrhundert ist eine Epoche des Umbruchs und des Übergangs. Entdeckungen und Erfindungen, einschneidende ökonomische Veränderungen, konfessionelle Auseinandersetzungen und geistige Krisen, soziale Revolten und politische Machtkämpfe erfassen alle Lebensbereiche und Bevölkerungsschichten. Überlieferte Ordnungen und Konventionen, bestehende Normen und Werte gehen zu Bruch, neue etablieren sich. Die Literatur dieser Zeit spiegelt die allgemeine Unsicherheit als Lebensgefühl und die Suche nach Orientierungen und Ordnungen wider. Daß in dieser Zeit die Schwänke ihre besondere Blüte haben, mag an ihrer spezifischen Erzählstruktur liegen. Schwankhelden treten in der festgelegten Ordnung einer Gattung auf den Plan und attackieren die Ordnung der Welt, aber sie ersetzen sie nicht durch eine neue. Gewiß, Schwänke stellen kritikwürdige Zustände dar und kritisieren fragwürdige Haltungen, aber ihr Ziel und Ende ist das Lachen. Die Verkehrte Welt des Schwanks ist nur im Lachen erfahrbar und ist keine Handlungsanweisung und schon gar keine Alternative.

Schwänke im 16. Jahrhundert treten vor allem in dreierlei Überlieferungszusammenhängen auf: als Schwankromane, als Schwanksammlungen, als Einzelschwänke in anderen Erzählgattungen. Schon die Schwankepen des Stricker und Philipp Frankfurters hatten Titelhelden, die als Außenseiter die gewohnten Formen und Normen von Sprechen und Handeln auf den Kopf stellen und damit außer Kraft setzen. Die Lebensform der Schwankhelden in den Prosaromanen des 16. Jahrhunderts ist die Reise, die sie an viele Handlungsorte bringt und mit allen Gesellschaftsschichten zusammenführt. Die einzelnen Historien geben als Schwänke den Helden vom Beginn bis zum Ende ihrer Lebensreise immer wieder Gelegenheit, als Schälke, Schelme oder Narren in Wort und Tat von ihren Streichen Zeugnis abzulegen. Wahrscheinlich von dem Braunschweiger Chronisten und Dichter Hermann Bote (um 1460 bis 1520) stammt der berühmteste und wirkungsmächtigste Schwankroman, dessen ältester Druck 1510/11 in Straßburg hergestellt wurde, *Till Eulenspiegel*. Der Titelheld, von dem nicht feststeht, ob er jemals als historische Person existiert hat, ist ein boshafter Schalk, der in viele Rollen schlüpft und mit Betrug, Wortwitz und skatologischen Gesten allen Standesvertretern üble Streiche spielt und überall Zwietracht sät. Eine komische Figur mit schlechten Eigenschaften, über die und mit der das Publikum lachen konnte und durch die es auf einen kritikwürdigen Weltzustand aufmerksam gemacht wurde. 1572 erschien in Eisleben der Erstdruck der *Sechs hundert sieben und zwanzig Historien von Claus Narren* des Weimarer Pastors Wolfgang Büttner (gest. vor 1596), der sich den gleichnamigen kursächsischen Hofnarren Friedrichs des Sanftmütigen zum Vorbild genommen haben soll. Im biographischen Rahmen werden recht platte Schwänke, die sich schon der kurzen Witzform annähern, erzählt und zum Anlaß für die gereimten allgemeinen moralischen Belehrungen über Sitte und Anstand. Diesem Zweck dienen auch *Hans Clauerts werkliche Historien* (1578) des Trebbiner Stadtschreibers Bartholomäus Krüger (um 1540 bis nach 1597). Auch Krügers Titelheld soll einen gleichnamigen, in der Mark Brandenburg um 1550 bekannten Witzbold als Vorbild haben. Die Schwankhistorien erzählen pointiert von Clauerts Gerissenheit und betrügerischen Machenschaften, mit denen er seine Mitmenschen hereinlegt. Doch meistens enden seine Streiche gütlich, und auch sie bieten Gelegenheit für moralische und sittliche Belehrungen im Sinne der gegebenen Ordnung und der überkommenen Werte.

Unübertroffen an geistvoller Satire, hintergründiger Ironie und parodistischem Stil sind die als Schwankchroniken konzipierten, anonym erschienenen Zyklen *Das Lalebuch* und *Die Schildbürger*. Beide Bücher waren 1597 bzw. 1598 in der Straßburger Druckerei von Bernhard Jobins Erben gedruckt worden. Vermutlich ist das *Schildbürger*-Buch eine Bearbeitung des *Lalebuchs*. In beiden Fällen wird in der Tradition der Ortsneckereien die Geschichte einer Narrengemeinde erzählt. Die Lalen, deren von einem griechischen Adjektiv abgeleiteter Name soviel wie Schwätzer bedeutet, sind als kluge Ratgeber an Fürstenhöfen tätig, während zu Hause in ihrem Gemeinwesen alles drunter und drüber geht. Deshalb beschließen sie, sich dumm zu stellen, vergessen aber dabei, daß die Gewohnheit zur zweiten Natur wird, werden echte Toren, die von falschen Denkvoraussetzungen ausgehen, allmählich ihre Welt zerstören. Von der Rahmengeschichte abgesehen, die den Fund der Lalenchronik durch den Erzähler beschreibt, enthält das *Schildbürger*-Buch die gleichen schwankhaften Geschichten, nur die Helden heißen eben Schildbürger. Mit dem Städtchen Schilda bei Meißen haben diese Narren im übrigen nichts zu tun. Diese Einbürgerung hat erst die Nachwelt vorgenommen. Was der Name Schildbürger bedeutet, ist unklar. Vielleicht ist er von den Schilden, d. h. den Wappen ihres Rathauses abgeleitet und will damit den stadtbürgerlichen Bezug verdeutlichen. Während das *Lalebuch* bald in Vergessenheit geriet, war den *Schildbürgern* ein lang andauernder Erfolg beschieden. Ähnlich wie Eulenspiegel und seine berühmten Streiche leben auch diese Narren und ihre unsterblichen Torheiten in unzähligen, von den schwankhaften Grobianismen gereinigten Bearbeitungen, vor allem auch der Kinderliteratur, weiter.

Die erste deutschsprachige Prosasammlung, die Schwänke enthält, *Schimpf und Ernst,* stammt von dem Elsässer Franziskanermönch Johannes Pauli (etwa 1455 bis 1530), der die Sammlung 1519 vollendet hatte und sie 1522 in Straßburg drucken ließ. Der Erstdruck enthielt 693 anekdotisch erzählte Stücke, die dem Titel nach Scherzhaftes und Ernstliches zur moralischen Nutzanwendung vermitteln sollten. Pauli hatte seine Schwänke nach thematischen Gruppen wie beispielsweise *Von Jungfrauen, Von den Narren, Von der Beichte* oder *Von dem Glauben* angeordnet, um sie so als Predigtexemplum für die jeweilige Moralthematik leichter auffindbar zu machen. Auch wenn er vor allem der lasterhafte Klerus auf drastische Weise immer wieder zum Ziel von Schimpf und Ernst gemacht wird, hat doch Pauli nie die katholische Kirche, ihre Institutionen und ihre Lehren in Frage gestellt.

Erst nach dem Augsburger Religionsfrieden 1555 erscheint die

Masse der Schwanksammlungen des 16. Jahrhunderts. Daß ihr auch eine reiche mündliche Erzähltradition zugrunde liegt, machen Titel und Vorreden deutlich, wenn da die Rede davon ist, daß Schwänke gesammelt wurden, die man sich auf Märkten und Gassen, in Wirtshäusern und Badestuben, in Gärten und auf Landstraßen erzählte. Kaum ein Schwankbuch, das nicht durch den Titel schon seine Zweckbestimmung wie *Das Rollwagenbüchlein* formulierte: »... die schweren Melancolischen gemüter damit zuo ermünderen.« Die Melancholie galt nach wie vor als sündhafte Krankheit, gegen die als probates Mittel sich die Schwankbücher empfahlen. Sie ließen über gestörte Ordnungen lachen und nicht verzweifeln. Und im Lachen konnte sich dank des Gattungsrituals auch die Ordnung wieder herstellen. So verhießen denn die einschlägigen Kompendien, den Unmut zu wenden, die Grillen im Kopf zu vertreiben und fröhliche Gemüter zu verursachen. Auch auf die konkreten Erzählsituationen weisen die Titel immer wieder hin, wenn sie als *Rollwagenbüchlein, Wegkürzer* oder *Rastbüchlein* die zeitverkürzende Lektüre für unterwegs sein wollen. Freilich auch in einem metaphorischen Sinne als Vademecum für die Lebensreise mit den anschaulichen Beispielen, aus denen der Leser und Hörer, und zwar jung und alt, Gutes erkennen und Böses vermeiden lernen soll, wie Valentin Schuhmann in seinem *Nachtbüchlein* betont.

1555 erschien in Straßburg erstmals *Das Rollwagenbüchlein* des Colmarers Georg Wickram (um 1505 oder 1520 bis 1562). Wickram, seit 1546 Ratsdiener, der ein umfangreiches Œuvre von Fastnachtspielen, biblischen Dramen, Meisterliedern, Lehrdichtungen und vor allem Romanen hinterlassen hat, siedelt seine Schwänke, die meist zu seiner Zeit handeln, mit Vorliebe in der stadtbürgerlichen und in der bäuerlichen Lebenssphäre an und lokalisiert sie oft in seiner elsässischen Heimat. Sein anschaulicher Erzählstil hat Züge des mündlichen Plaudertons, verwendet gerne volkstümliche Redensarten und liebt die Pointe. Er stellt bürgerliche Modetorheiten bloß, verspottet einfältige Bauern und geißelt immer wieder den Lebenswandel der katholischen Geistlichkeit. Aus seiner Sympathie für Luthers Reformation macht Wickram keinen Hehl, doch er verzichtet in all seinen Schwänken auf eine ausdrückliche moralische Nutzanwendung. Wickrams Schwanksammlung war so erfolgreich, daß die ursprünglich 67 Stücke bereits 1556 als Neudruck um zwölf Schwänke erweitert wurden. *Das Rollwagenbüchlein* ist danach noch mehrmals erweitert neu gedruckt worden und hat anderen Schwankbüchern als Vorlage gedient. Daß mit Wickrams Erfolgsbuch auch ein verlegerisches Geschäft zu machen war, beweisen die Titel, die sich an Wickrams Buch anlehnen oder mit diesem zusammengebunden erscheinen.

In Wickrams Nachfolge stehen mehrere, in Inhalt und Form verwandte, sehr umfangreiche Schwanksammlungen. Jakob Frey (etwa 1520 bis 1562), ein Freund Wickrams, war Stadtschreiber und Notar im elsässischen Mauersmünster. Er hat 1557 in Straßburg eine Kompilation von 129 Schwänken veröffentlicht. *Die Gartengesellschaft,* im Untertitel als anderer Teil des *Rollwagenbüchleins* bezeichnet, benutzt Poggio, Bebel und Adelphus als Quellen und – so Frey – enthält vor allem auch Selbsterlebtes. Er greift auch auf Pauli zurück und verwertet dessen Schwänke unter protestantischen Gesichtspunkten. Seine Geschichten spielen vorzugsweise im stadtbürgerlichen und bäuerlichen Milieu des Elsaß und der Schweiz. Nur etwa ein Sechstel seiner Schwänke sind original. Auch Freys Schwankbuch war immerhin so erfolgreich, daß der katholische Straßburger mit dem latinisierten Namen Martin Montanus (um 1530 bis 1580) 1557 eine Sammlung mit 115 Schwänken unter dem Titel *Das ander Teil der Gartengesellschaft* herausgab. Zuvor schon hatte der geschäftstüchtige Frankfurter Verleger Sigmund Feyerabend dessen 42 Stücke enthaltendes Schwankbuch *Wegkürzer* als »das dritte theil des Rollwagens« ausgegeben, das seinerseits wieder die titelgebende Vorlage für das niederdeutsche Schwankbuch *De klene Wegekörter* (1592) abgab. Auch Montanus bedient sich der reichhaltigen Schwankliteratur vor ihm und greift auf mündliche Überlieferung zurück. So finden sich in seinen Sammlungen beispielsweise Geschichten wie *Vom tapferen Schneiderlein,* die den Grimmschen Märchen später als Quellen dienten.

1558 erschien mit dem *Rastbüchlein* die erste Schwanksammlung des Leipzigers Michael Lindener (um 1520 bis 1562), der in Beziehung zu dem Kreis neulateinischer Dichter um Helius Eobanus Hessus stand und als Schulmeister tätig war. Das *Rastbüchlein*, eine Kompilation aus Boccaccio, Pauli, Waldis und Montanus, enthält 28 facetienartige Schwänke, die sich vor allem um deftige Erotik drehen. Das Personal wird vorzugsweise vom Klerus und den Bauern gestellt, aber es kommen nun auch zunehmend städtische Repräsentanten, Studenten und Akademiker zumal, ins Blickfeld. Im gleichen Jahr folgte dann die Sammlung *Katzipori*, deren 122 Schwänke in erster Linie auf Selbsterlebtes und mündlich Überliefertes zurückgehen sollen. Mit »Katzipori« bezeichnet Lindener die frechen und unverschämten Lotterbuben, Zechbrüder und Raufbolde, die seine Sammlung bevölkern. Lindeners teils unflätige Schwänke sind sprachlich virtuos erzählt und enthalten viele volkstümliche Redensarten und Reime. Lindener hat ein ungewöhnliches Ende gefunden. Am 7. März 1562 wurde er wegen Mordes enthauptet. Noch übertroffen in den Grobianismen wird Lindener durch seinen Leipziger Landsmann Valentin Schumann (etwa 1520 bis 1599). Schumann war nach einem bunten Leben als Student, Schriftsetzer, Landsknecht 1558 in Nürnberg in große Schulden geraten und nach Augsburg geflohen. Dort hat er dann gezielt zum Gelderwerb Schwänke gesammelt und kompiliert. Dabei hat er als Quellen so ziemlich die gesamte Unterhaltungs- und Schwankliteratur seiner Zeit benutzt. Seine 1559 erschienene zweiteilige Sammlung *Nachtbüchlein* enthält insgesamt 51 Schwänke, die auch anschaulich Genrebilder aus der Welt der Fahrenden, vom Landsknechts- und Handwerkerleben, vermitteln. Schumann liebt zotige Wortspiele und läßt als einer der ersten seinen Erzähler sich mit Aufforderungen zum gedanklichen Weiterspielen an den Leser wenden.

Der Schwiegervater von Johann Fischart (dem neuerdings *Die Schildbürger* zugeschrieben werden), Bernhard Hertzog (1537 bis 1596 oder 1597), hat 1560 in Magdeburg in der Sammlung *Schildwacht* Schwänke aus anderen Sammlungen der Zeit zusammengetragen. Geradezu eine Schwankenzyklopädie aber, eine Summe der gesamten Schwankliteratur, stammt von dem Kasseler Hans Wilhelm Kirchhof (etwa 1525 bis 1603). Kirchhof war lange als Landsknecht auf den europäischen Kriegsschauplätzen unterwegs gewesen, ehe er in Marburg studierte und 1583 Burggraf in Spangenberg wurde. Kirchhof hat den gesamten Bereich der Schwanküberlieferung ausgeschöpft, hat vor allem auch seine eigenen Erlebnisse verarbeitet und Tagesaktualitäten verwertet. Ihren Niederschlag hat diese Arbeit in den sieben Büchern und insgesamt 2083 Nummern der Sammlung *Wendunmut* gefunden. Der erste Band wurde 1563 in Frankfurt am Main gedruckt und ist noch häufiger aufgelegt worden. Der zweite, dritte, vierte und fünfte Band erschienen erst 1602, der sechste und siebente folgten 1603. Kirchhof grenzt sich in der Widmung zum ersten Buch selbst scharf von der »unzucht, geil und frechheit« seiner Vorläufer ab. Kirchhof reizte mehr die satirische Tendenz, die er an Bebel schulte. Ihm, dem Protestanten, kam es darauf an, mit seinen Schwänken protestantisches Weltverständnis und vor allem protestantischen Untertanengehorsam zu demonstrieren. Kirchhof bevorzugt schlichten, knappen, anekdotenhaften Stil, bevorzugt präzise Ausdrücke und eindeutige Wortwahl, die ihn von seinen Vorgängern, Schumann in erster Linie, deutlich unterscheidet.

Natürlich sind die umfangreichen Schwanksammlungen die Hauptlieferanten der Schwankliteratur des 16. Jahrhunderts. Daneben aber finden wir immer wieder schwankhafte Geschichten auch in anderen Erzählwerken. Beispielsweise werden in der Chronik der Grafen von Zimmern (um 1560) historisch verbürgte Begebenheiten aufgezeichnet, die als »schwenk« lustige Anekdoten, heitere Ereignisse oder seltsame Possen närrischer Personen wie Wolf Scherer alias Peter Letzkopf aus Oberndorf berichten. Hier hat eine Übertragung des Gattungsnamens Schwank auf eben nur komische Geschichten über skurrile Leute stattgefunden, ohne daß die typische Erzählstruktur des Schwanks Pate gestanden hätte. Dies trifft schon eher auf manche der schwankhaften Historien des *Faust*-Buches (1587) zu, in

denen der Titelheld als Gaukler und Scharlatan andere herein-
legt.

Das 16. Jahrhundert war zweifellos die »Blütezeit« des Prosa-
schwankes. Was das 17. und 18. Jahrhundert hervorbrachte,
übertraf zwar die Menge der Schwankliteratur des 16. Jahrhun-
dert um ein Vielfaches; allein was Originalität und literarisches
Vermögen anlangt, bleiben die meisten der unzähligen nach dem
Dreißigjährigen Krieg erschienenen anonymen und pseudony-
men Schwankbücher, die nicht selten mehr als 1 000 Nummern
enthalten, hinter ihren Vorläufern zurück. Einen festen Platz
findet schwankhaft-anekdotenhaftes Erzählen in den Kalendern
des 18. und 19. Jahrhunderts. Das 19. Jahrhundert dann kennt
den Schwank vor allem durch die Editionen der mittelalterlichen
und frühneuzeitlichen Schwankliteratur sowie durch die ersten
volkskundlichen Sammlungen. Gerade die landschaftlichen
Schwänke, zumal solche im Dialekt, werden dann auch im 20.
Jahrhundert eifrig gesammelt, aufgezeichnet und herausgegeben.
Der literarische Schwank dagegen ist aus der Erzählliteratur des
19. und 20. Jahrhunderts fast verschwunden.

DEUTSCHE LITERATUR DES MITTELALTERS

in zweisprachigen Studienausgaben

Hartmann von Aue
Der arme Heinrich
Mittelhochdeutscher Text und Übertragung
Band 6488

Erec
Mittelhochdeutscher Text und Übertragung
Band 6017

Minnesang
Mittelhochdeutsche Texte mit Übertragung
und Anmerkungen. Band 6485

Das Nibelungenlied 1 und 2
Mittelhochdeutscher Text mit Übertragung
2 Bände: 6038 / 6039

Walther von der Vogelweide
Gedichte
Mittelhochdeutscher Text und Übertragung
Band 6052

Wernher der Gartenaere
Helmbrecht
Mittelhochdeutscher Text und Übertragung
Band 6024

Fischer Taschenbuch Verlag

Literaturwissenschaft

Hartmut Böhme /
Nikolaus Tiling (Hg.)
**Leben, um eine Form
der Darstellung zu finden**
Studien zum Werk Hubert Fichtes
Band 10831

Carl Buchner /
Eckhardt Köhn (Hg).
Herausfordeung der Moderne
Annäherung an Paul Valéry
Band 6882

Hermann Burger
Paul Celan
**Auf der Suche nach der
verlorenen Sprache**
Band 6884

Michel Butor
Die Alchemie und ihre Sprache
*Essays zur Kunst und
Literatur. Band 10242*

Ungewöhnliche Geschichte
*Versuch über einen Traum
von Baudelaire*
Band 10959

Mathieu Carrière
**für eine Literatur
des Krieges, Kleist**
Band 10159

Victor Erlich
Russischer Formalismus
Band 6874

Gunter E. Grimm (Hg.)
Metamorphosen des Dichters
*Das Rollenverständnis
deutscher Schriftsteller
vom Barock bis zur Gegenwart*
Band 10722

Käte Hamburger
Thomas Manns biblisches Werk
Band 6492

Gustav René Hocke
**Europäische Tagebücher
aus vier Jahrhunderten**
Motive und Anthologie
Band 10883

Ralf Konersmann
Lebendige Spiegel
Die Metapher des Subjekts
Band 10726

Jan Kott
Shakespeare heute
Band 10390

Leo Kreutzer
Literatur und Entwicklung
*Studien zu einer Literatur
der Ungleichzeitigkeit*
Band 6899

Fischer Taschenbuch Verlag

Literaturwissenschaft

Fischer Taschenbuch Verlag

fi 97 / 8 b

Erzähler–Bibliothek

Jerzy Andrzejewski
Die Pforten des
Paradieses
Band 9330

Veljko Barbieri
Epitaph eines
königlichen
Feinschmeckers
Roman. Band 11026

Hermann Burger
Die Wasserfall-
finsternis von
Badgastein
und andere
Erzählungen
Band 9335

Joseph Conrad
Jugend
Ein Bericht
Band 9334

Die Rückkehr
Erzählung
Band 9309

Tibor Déry
Die portugiesische
Königstochter
Zwei Erzählungen
Band 9310

Heimito von Doderer
Das letzte Abenteuer
Ein »Ritter-Roman«
Band 10711

Fjodor M. Dostojewski
Traum eines lächer-
lichen Menschen
Eine phantastische
Erzählung
Band 9304

Carlo Emilio Gadda
Cupido im Hause
Brocchi
Erzählung. Band 11016

Nikolai Gogol
Der Mantel /
Die Nase
Zwei Erzählungen
Band 9328

Ludwig Harig
Der kleine Brixius
Eine Novelle
Band 9313

Henry James
Das glückliche Eck
Eine Geistergeschichte
Band 10538

Abraham B. Jehoschua
Frühsommer 1970
Erzählung. Band 9326

Franz Kafka
Ein Bericht
für eine Akademie/
Forschungen
eines Hundes
Erzählungen
Band 9303

Eduard
von Keyserling
Schwüle Tage
Erzählung
Band 9312

Fischer Taschenbuch Verlag

fi 669 / 9 a

Erzähler–Bibliothek

Fischer Taschenbuch Verlag

fi 669/3b

Erzähler–Bibliothek

William Saroyan
Traceys Tiger
Roman
Band 9325

Arthur Schnitzler
Frau Beate
und ihr Sohn
Eine Novelle
Band 9318

Anna Seghers
Wiedereinführung
der Sklaverei
in Guadeloupe
Band 9321

Isaac Bashevis Singer
Die Zerstörung
von Kreschew
Erzählung
Band 10267

Adalbert Stifter
Abdias
Erzählung
Band 10178

Mark Twain
Der Mann,
der Hadleyburg
korrumpierte
Band 9317

Jurij Tynjanow
Sekondeleutnant Saber
Erzählung. Band 10541

Franz Werfel
Eine blaßblaue
Frauenschrift
Erzählung. Band 9308

Geheimnis
eines Menschen
Novelle. Band 9327

Edith Wharton
Granatapfelkerne
Erzählung. Band 10180

Patrick White
Eine Seele von Mensch
Short Story
Band 10710

Virginia Woolf
Lappin und
Lapinova
Fünf Erzählungen
Band 11027

Carl Zuckmayer
Eine Liebesgeschichte
Band 10260

Der Seelenbräu
Erzählung
Band 9306

Stefan Zweig
Angst
Novelle
Band 10494

Brennendes Geheimnis
Erzählung
Band 9311

Brief einer
Unbekannten
Erzählung
Band 9323

Fischer Taschenbuch Verlag

fi 669 / 4 c